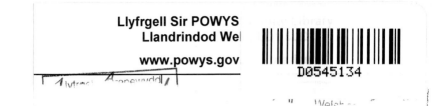
FY HANES I

Er cof am gyfoeswyr annwyl na wnaethant fy ngoroesi:

Phil Williams, Nigel Jenkins, Hywel Teifi Edwards,
Jane Morgan, Lowri Gwilym, John Hefin,
Owen Roberts, John Daniel, David Jones, Rees Davies,
Emyr Price, Brian Evans, Emyr Daniel, Dylan Morris,
John Davidson ac Arun Abhyankar

John Davies

HUNANGOFIANT

FY HANES I

y Lolfa

Dymuna'r cyhoeddwyr gydnabod cymorth ariannol
Cyngor Llyfrau Cymru.

Llun y clawr: Iolo Penri
Cynllun y clawr: Y Lolfa

Rhif Llyfr Rhyngwladol: 978 1 84771 985 0

Cyhoeddwyd, rhwymwyd ac argraffwyd yng Nghymru gan
Y Lolfa Cyf., Talybont, Ceredigion SY24 5HE
gwefan www.ylolfa.com
e-bost ylolfa@ylolfa.com
ffôn 01970 832 304
ffacs 832 782

1

Treorci

1938–45

DIGON DIFLAS OEDD y newyddion ar 25 Ebrill 1938.
Cyhoeddwyd na châi Iddewon fynychu bwytai Fienna, a
datganodd Konrad Henlein ei obaith y byddai Hitler cyn hir
yn dod â byddin a fyddai'n sicrhau diwedd ar yr ormes yr
honnid bod Almaenwyr Sudetenland yn ei dioddef.

Ddau ddiwrnod yn ddiweddarach cafwyd llawer gwell
newyddion. Ar 27 Ebrill 1938 cyhoeddwyd nodyn ar dudalen
flaen y *Western Mail* (tudalen a oedd, y pryd hwnnw, wedi'i
neilltuo ar gyfer hysbysebion teuluol a masnachol) yn datgan
bod mab (John) wedi'i eni yn Ysbyty Llwynypia i Mary (*née*
Potter) a Daniel Davies o Heol Dumfries, Treorci.

Yn ddiweddarach, cefais ddisgrifiad o ddiwrnod y geni.
Clywais fod fy Modryb Bet o Heol Stuart, Treorci, wedi fy
nghodi i weld allan drwy'r ffenest, gan gynnig i mi olygfa
o'r rheilffordd, yr afon, y ffordd fawr a'r rhesi o dai a
oedd yn gweu eu ffordd wrth droed y bryn lle safai Ysbyty
Llwynypia. Dyna'r olygfa eiconig o Gwm Rhondda, tirlun
sy'n rhan o'm cynhysgaeth a'm cenhadaeth hyd y dwthwn
hwn. Flynyddoedd yn ddiweddarach, lluniais gyfrol ar y can
lle y dylid eu gweld yng Nghymru cyn marw. Un o'r cant
oedd tirlun y Rhondda, a mynnais nad oedd y sawl a oedd
heb weld y tirlun hwnnw wedi gweld Cymru.

Diddorol yw oedi dros yr enwau Heol Dumfries a Heol Stuart; roedd yr olaf yn un o'r llu o enwau yn y Rhondda a chanddynt gysylltiad â theulu Crichton Stuart, ardalyddion Bute. (Siom i mi, o astudio enwau strydoedd Treorci, oedd darganfod nad oedd neb yn y teulu hwnnw a alwyd yn Cemetery – enw'r stryd sy'n mynd o'r Cardiff Arms yn Heol Bute i waelodion Cwm Orci.) Fe'm gogleisiwyd yn blentyn gan y cysylltiadau â'r Alban, a phan gefais gyfle i weithio ar gyfer doethuriaeth, gweithgaredd ardalyddion Bute ym Morgannwg oedd y pwnc a ddewisais.

Ond manylion yw enwau'r strydoedd o'u cymharu â'r hyfrydwch a brofais yn ein trigle yn Heol Dumfries. Yr aelod o'r teulu a gofiaf orau yw fy chwaer, Anne. Mae hi ddwy flynedd yn hŷn na mi a bu bob amser 'wrth fy nghefn ym mhob annibyniaeth barn'. Buom yn teithio gyda'n gilydd droeon a chofiaf yn arbennig am fethiant ein hymgais i agor wystrys yn hostel ieuenctid Morlaix trwy eu berwi, a'r hyfrydwch o glywed yn ei chwmni glychau gwartheg yn neheudir Bafaria.

Wrth gwrs, roedd fy rheini yn rhan hanfodol ac annwyl o'r stori hon. Roedd hynafiaid y ddau yn rhan o'r ymfudiad i'r Rhondda, a chlywais si fod ein hynafiaid yn cynnwys glorianwyr, sef pobl a drigai yn y Rhondda cyn i byllau glo gael eu suddo yno, ond nid wyf wedi darganfod unrhyw dystiolaeth i gadarnhau hynny. Y post-glorianwyr yw'r elfen bwysig, gan mai hwy a achosodd i nifer y bobl a drigai ym mhlwyf Ystradyfodwg gynyddu o lai na 1,000 yn 1840 i dros 160,000 erbyn y 1920au, pan oedd mwy o bobl yn byw yno nag yng Ngheredigion, Meirionnydd, Sir Drefaldwyn a Sir Faesyfed gyda'i gilydd.

Noda cyfrifiad 1861 fod John Davies, tad-cu fy nhad, yn fwynwr plwm a drigai ym Mhontrhydfendigaid. Priododd ei fab, William, yn Eglwys Llanbadarn Fawr ddechrau wythdegau'r bedwaredd ganrif ar bymtheg, pan oedd yn was fferm yn y Gors yn Nyffryn Paith. Morwyn yn yr un ardal oedd ei briod, Jane Richards, a drigai gynt yn nhyddyn Bryn-bedd ar y Mynydd Bach. Yr oedd Jane yn aelod o deulu mawr, a hyfrydwch i mi yw dod o hyd i geifn a cheifnesau ledled Morgannwg a Cheredigion. Ganwyd mab iddynt, John Davies, yn 1882, gŵr allweddol yn hanes Cymru ac yn fy hanes innau hefyd. Gan fod incwm yn y Geredigion wledig yn y 1880au yn enbyd o annigonol, yr ateb amlwg oedd ymfudo i'r Rhondda. Yno, ddeufis wedi geni fy nhad, Daniel Davies, ym Maerdy yn y Rhondda Fach ym mis Hydref 1885, lladdwyd ei dad yntau, William, yn Nhanchwa Maerdy. Cefais hyd i'w fedd ym Mynwent Glyn-rhedyn – y cyntaf i'w gladdu o'r 81 a laddwyd yn y danchwa. (Mae'n sicr y byddai William yn gwbl anobeithiol ynglŷn â thynged ei deulu wrth i'r tân lapio amdano. Byddwn wrth fy modd pe medrwn ddweud wrtho fod ganddo wyres ac ŵyr, pedwar o wyrion a chwech o orwyrion, pob un ohonynt yn eithaf cysurus eu byd.)

Adroddwyd tynged ei wraig a'i feibion yn yr ohebiaeth helaeth rhwng John, yr hynaf o feibion Jane, a'r gŵr dylanwadol hwnnw, Thomas Jones, o Rymni. I'w chynnal, derbyniai Jane Davies goron yr wythnos, namyn pedair ceiniog, i dalu cost yr archeb bost. Roedd hynny'n fater o gryn chwerwedd i John, ond ei chwerwedd mwyaf oedd angen cyson ei fam i gael adroddiad gan ynad yn gwarantu ei bod 'o gymeriad da'. Rhyngddynt, câi ei dau fab hanner coron yr wythnos nes eu bod yn dair ar ddeg oed a byddai angen i'r ynad hefyd adrodd eu bod yn dal yn fyw. Symudodd y teulu yn ôl i Geredigion, ac ymgartrefu mewn bwthyn pridd adfeiliedig yn Llangeitho lle roedd raid i'r meibion ddringo i'w gwelyau ar raffau. Ychwanegai'r fam at ei hincwm trwy weithio fel bydwraig a llafurio yn y caeau. Yn nes ymlaen, sicrhaodd ei meibion dŷ teras iddi hi yn Heol Meidrym ac yno darparai giniawau i ddisgyblion ysgol gynradd Llangeitho – E. D. Jones, a ddaeth yn Llyfrgellydd y Llyfrgell Genedlaethol, yn eu plith. Bu hi farw ganol y 1920au ond parhaodd cof cynnes amdani. Yn y 1980au, darfu i Mari James, Llangeitho, fy nghyflwyno i gymdoges iddi. 'Hwn,' meddai hi, 'yw ŵyr Jane Maerdy' – er mai am lai na dwy flynedd y bu Jane yn byw yn y Maerdy, a hynny o leiaf ganrif cyn sylw Mari James.

Yn 1895, aeth John, fy ewythr, yn brentis i ddilledydd yn y Porth, y Rhondda, a thair blynedd yn ddiweddarach aeth Daniel hefyd i'r Rhondda i fod yn brentis saer i Thomas & Evans, cwmni Corona. Deisyfai eu mam gysylltu'n uniongyrchol â hwy ond er iddi ddysgu darllen yn yr ysgol Sul, ni fedrai ysgrifennu; dim ond 'chwarter o ysgol' a gafodd. Ar un ymweliad â Llangeitho, darganfu John lond drôr o bapurau ac arnynt dystiolaeth o'i hymgais i ymarfer ysgrifennu 'Annwyl John' ac 'Annwyl Daniel' – tystiolaeth o'i dyhead i gyfathrebu â'i meibion heb orfod gofyn am gymorth.

Cafodd Daniel yrfa bur lwyddiannus fel saer yn y Rhondda. Heblaw am gyfnod yng Nghyffinwyr De Cymru adeg y Rhyfel Byd Cyntaf, yn Nhreorci y treuliodd bron y cwbl o'i yrfa. Yn 1934 priododd Mary Potter, merch William Potter, gŵr a oedd yn wreiddiol o Foelfryn (Malvern) yn Swydd Gaerwrangon. Symudodd William i weithio yn Llandinam, lle bu'n gofalu am geffylau teulu David Davies. Cysylltiadau'r teulu hwnnw â Threorci a ddaeth ag ef i'r Rhondda, lle bu'n haliwr a lle y dioddefodd anaf o ganlyniad i gwymp carreg yn y pwll. Treuliodd flynyddoedd yn Ysbyty Pen-y-bont – lle erchyll ym marn ei ferch, Mary; arswyd iddi hi oedd mynd trwy'r dref honno, a rhyddhad aruthrol iddi oedd dyfodiad yr M4. Bu farw Daniel Davies, fy nhad, pan oeddwn yn un ar ddeg, ond goroesodd Mary, fy mam, tan fy mod yn fy mhumdegau, ac felly hi yw'r unig un o'm hynafiaid y cefais y fraint o glywed ei hatgofion. Fe'i ganwyd hi yn 1899 yn Nhreorci. Erbyn dechrau'r Rhyfel Byd Cyntaf roedd ei rhieni wedi marw, a thrigai Mary gyda rhieni ei mam. Ganwyd ei mam, Anne, a'i mam hithau, Mary, ym Merthyr neu yn y Rhondda Fawr. Roedd Mary yn ferch i Margaret ac Evan Evans o Gilfachyrhalen, ger Ceinewydd, aelodau o deulu â thraddodiad mordwyol cryf. Bu gennym baentiad olew o'r llong y bu Evan, mab Evan Evans, yn gapten arni (roedd pob morwr o'r ardal honno'n gapten) – y llong y boddodd ynddi ger arfordir Tasmania yn 1899. Aeth David, ei frawd, i weithio mewn siop ym Mhontypridd ac yna i ofalu am fferm Ysguborwen yn Rhydfelen gerllaw, fferm a oedd yn eiddo i ddwy ferch ddibriod. Priododd David yr hynaf ohonynt a chawsant blant. Pan fu farw'r ferch hynaf, cyfrifoldeb y ferch iau oedd gofalu am y plant ond ni fedrai David ei phriodi hi oherwydd y ddeddf a waharddai priodas rhwng dyn â chwaer gwraig flaenorol. Bu'r Annibynwyr yn ddigon graslon i roi sêl bendith ar yr ail uniad, a rhyfeddod i mi oedd darganfod bod fy hen Fodryb Nellie – dynes hynod o barchus – yn gynnyrch priodas na chydnabuwyd gan y wladwriaeth.

Bu Anne, fy mam-gu, yn byw yn Nowlais ond cadwodd mewn cysylltiad agos â David, a does ryfedd felly fod ei merch, fy mam, yn ystyried disgynyddion ei hen ewyrth fel ei pherthnasau agosaf. Symudodd Anne i Dreorci ac yno priododd Henry Davies, o deulu â gwreiddiau yn Nhalyllychau, Sir Gaerfyrddin. Yn ôl y stori, roedd ei hynafiaid wedi cymryd rhan yn Helyntion Rebeca ond, wrth i'r awdurdodau gau arnynt, fe ddarfu iddynt ffoi i Ferthyr ac oddi yno i'r Rhondda. Bu Henry Davies fyw tan i fy mam gyrraedd ei hugeiniau ac felly clywais fwy amdano ef nag am unrhyw un arall o'i genhedlaeth. Os oes rhywun yn gofyn imi ble mae gwreiddiau fy nheulu, atebaf bob amser: 'Yn Nhalyllychau'.

Gŵr diddorol oedd Henry Davies. Pan gafodd ei bensiwn coron yr wythnos, cywilydd iddo oedd cael ei weld yn casglu swm mor fechan ac âi unwaith y mis i gasglu sofren. Rhoddai beth o'r arian i'w wyres a chyda'r rhodd fe brynai hi'r *Children's Encyclopaedia*; cadwodd bob copi ac yn ystod gaeaf garw 1947, mi ddarllenais y cwbl. Teimlaf mai o ddeunydd Arthur Mee y deilliodd fy niddordeb mewn hanes, llenyddiaeth a'r tirlun. Felly, mae fy nyled i bensiwn Lloyd George ac i Henry Davies yn enfawr. Ymddengys mai Saesneg oedd iaith y teulu tra oedd William Potter, tad-cu fy mam ar ochr ei thad, yn fyw – bedd teulu Potter ym mynwent Treorci yw bron yr unig fedd yno ac arno arysgrif Saesneg, a hynny mewn erwau o feddau Cymraeg – a throi yn ôl at y Saesneg a wnaeth Mam yn ei hwythnosau olaf. Cymraeg Sir Gaerfyrddin a siaredid pan drigai Mam yng nghartref ei thad-cu ar ochr ei mam. Fodd bynnag, roedd rhai o'i pherthnasau a'i chydnabod yn siarad y Wenhwyseg, a chofiai bobl yn y Rhondda ac Aberdâr yn dweud pethau fel 'Shgwla pwy sy'n wilia'.

Bethlehem, prif gapel y Methodistiaid Calfinaidd yn Nhreorci, oedd pencadlys y bobl ·a oedd wedi ymfudo o'r de-orllewin, a'r capel hwnnw oedd pencadlys tafodiaith mewnfudwyr o'r broydd hynny yn Nhreorci. Llochesai'r Wenhwyseg ymhlith aelodau capeli'r Bedyddwyr a'r Annibynwyr, pobl a oedd yn fwy tebygol o fod â gwreiddiau yn y de-ddwyrain.

Cafodd Mam lwyddiant yn Ysgol Gynradd Treorci, gan basio'r 11+ i 'Poth County', yr unig ysgol ramadeg yn y Rhondda. Ni fedrai'r teulu fforddio'i hanfon yno ac aeth yn ddisgybl i Pentre Sec – ysgol yr oedd modd ei chyrraedd heb dalu am fŷs. Mae gennyf gasgliad o lyfrau gosod yr ysgol, yn eu plith lyfr hanes y disgyblion, *The History of England* gan Arabella B. Buckley – llyfr o fawl i deulu brenhinol ac ymerodraeth y Saeson. Roedd yr ysgol hefyd yn dysgu rhywfaint o Gymraeg (*Hôg dy Fwyell* oedd ei harwyddair). Enillodd Mam y wobr gyntaf am y Gymraeg pan oedd yn y chweched dosbarth; y wobr oedd copi o gerddi Matthew Arnold. Roedd hi'n ddisgybl addawol, yn enwedig mewn Mathemateg a Ffiseg ac er gwaethaf trafferthion enbyd gyda'i llygaid, enillodd y cymwysterau i fynd i'r brifysgol. Doedd adnoddau'r teulu ddim yn caniatáu hynny ond roedd hi wedi etifeddu digon oddi wrth ei rheini i fynd i goleg hyfforddi. A hithau â diddordeb mawr yn ei chysylltiadau â Lloegr, dewisodd fynd i Gaer-wysg. Arswyd i'w thad-cu oedd y syniad fod merch ifanc yn teithio trwy Dwnnel Hafren ac i Loegr ag arian yn ei phoced a mynnodd ei bod yn gwinio sofrenni i mewn i dop ei sanau. O gyrraedd y coleg, a datgymalu ei dillad, rhyfeddod iddi hi oedd gweld y fyfyrwraig o'i blaen yn llofnodi siec. Roedd hi yn y coleg adeg y Rhyfel Byd Cyntaf ac roedd bron y cwbl o'r myfyrwyr yn fenywaidd; roedd un myfyriwr gwrywaidd yno – milwr wedi'i glwyfo – a Mr Man oedd enw pawb ar hwnnw.

Ar ôl dod yn athrawes ardystiedig, ystyriodd gymryd swydd yn un o ysgolion de-orllewin Lloegr, bro hyfryd yn ei golwg. Fodd bynnag, gan fod athrawon ysgolion cynradd y Rhondda wedi ymgyrchu er mwyn sicrhau incwm teg, roedd cyflogau yno'n fwy nag yr oeddynt mewn ardaloedd gwledig. Yn ogystal, roedd Mam wedi etifeddu tŷ yn Nhreorci, tŷ tair ystafell wely roedd ei thad wedi'i brynu ddiwedd y 1890au am £280 ac a werthwyd ganddi hi am lai na £500 yn 1945. Fe'i penodwyd yn athrawes yn Ysgol Gynradd Cwm-parc, ac yno cafodd lwyddiant arbennig; ymffrostiai na wnaeth neb orffen yn ei dosbarth heb fedru darllen ac ysgrifennu (Saesneg) a chofio'r tablau hyd at 12 × 12. Erbyn diwedd ei chyfnod yn yr ysgol, hi oedd yn gyfrifol am y *scholarship class*, blwyddyn o waith caled gan y disgyblion – ymroddiad a gynhwysai astudio nifer o lyfrau gosod. Y ffefryn oedd *From Log-Cabin to the White House*, cofiant James Garfield, arlywydd yr Unol Daleithiau, sy'n egluro, efallai, boblogrwydd yr enw Garfield yng nghymunedau diwydiannol y de.

Mewn ardal lofaol fel y Rhondda, bu'r 1920au a'r 1930au yn gyfnod o galedi mawr a bu Mam yn cynorthwyo gyda chanolfannau cyfnewid esgidiau ac yn frwd dros fynd â phlant amddifad ar wyliau. Aralleiriwyd y fersiwn Saesneg o Weddi'r Arglwydd gan ferch o Ddowlais pan oedd ar wyliau yn Torquay. Nid 'Thy will be done on Earth as it is in Heaven' a weddïai; yn hytrach, dywedai 'Thy will be done in Merthyr as it is in Devon'. Serch hynny, yr oedd y rheini ag incwm sefydlog a dim ond ychydig o gostau dyddiol yn weddol fras eu byd. Âi Mam bob Nadolig at ei pherthnasau yn Rhydfelen. Yno, ystyrid 'May Treorcky' fel atodiad tlawd i'r teulu. Pan briododd Mam, cafodd gan y teulu yn Rhydfelen set gyfan o lestri ar gyfer parti cinio.

'Does neb yn cynnal partïon cinio yn Nhreorci,' meddai.

'Y maent yn Rhydfelen,' oedd yr ateb. Mynnodd Mam fod Modryb Nellie'n dod i'm seremoni raddio, er mwyn profi bod ei theulu hi cystal â theulu ei pherthynas.

Treuliai Mam wyliau'r Pasg yng Ngwlad yr Haf a Dyfnaint, ac ymserchu'n fawr mewn mannau fel Lynmouth ac Ilfracombe. Gwyliau'r haf oedd cyfnod ei theithiau uchelgeisiol a gwariai hyd at hanner ei chyflog blynyddol ar wibdeithiau Lunn Poly. Bron bob blwyddyn, âi i Baris neu Lydaw, neu Lucerne neu Montreux gan gysgu'r nos ar y *night ferry* a gludai gerbydau'r trên ar draws y Sianel ym mola'r llong. Yr oedd yn Basle yn 1923 pan oedd chwyddiant yn yr

Almaen yn ei anterth. Croesodd y ffin a threulio noson yng ngwesty gorau Freiburg am y nesaf peth i ddim.

Roedd ei hymweliad â Pharis yn 1927 yn ddigwyddiad allweddol, gan mai hwnnw oedd y sbardun iddi ailgydio yn y Gymraeg. Roedd hi yno gyda'i chyfeilles Blanche Thomas o'r Ddraenen-wen, athrawes Ffiseg yn Ysgol Ramadeg Abersychan. (Roedd Roy Jenkins ymhlith ei disgyblion – efrydydd addawol mewn rhai pynciau, ond nid mewn Ffiseg.) Roedd Paris yn Awst 1927 yn wenfflam wrth-Americanaidd oherwydd penderfyniad yr Unol Daleithiau i ddienyddio'r anarchistiaid Sacco a Vanzetti ar sail tystiolaeth simsan. Dyma benderfyniad a enynnodd lid Einstein a Shaw ac a arweiniodd at brotestiadau mewn llu o wledydd. Ystyrid bod siarad Saesneg yn weithred beryglus yno, gan y gallai roi'r argraff fod y siaradwyr yn frodorion o'r Unol Daleithiau. Hynny oedd barn ceidwad gwesty Blanche a Mary – gŵr a oedd wedi gweithio yng Nghaerdydd ac wedi adnabod eu hacenion Cymreig. 'Os medrwch chi siarad Cymraeg,' cynghorodd, 'gwnewch hynny.' Er gwaethaf eu cefndir capelog Cymraeg, digon llipa oedd gafael y ddwy ar yr iaith, ac ar ôl straffaglu am oriau, penderfynodd Mam fynd i gael gwersi Cymraeg wedi iddi ddychwelyd i'r Rhondda.

Ymaelododd â Mudiad Addysg y Gweithwyr a chyfarfu â John Davies a fyddai, yn nes ymlaen, yn frawd yng nghyfraith iddi, gŵr a benodwyd yn 1919 yn ysgrifennydd y mudiad yng Nghymru (ysgrifennydd y mudiad yn y de ydoedd o 1925 ymlaen). Erbyn 1919 roedd John wedi cael aml i yrfa. Ar ôl blynyddoedd o weithio mewn siopau dilledyddion – gwaith atgas yn ei olwg – daeth yn aelod brwd o'r Blaid Lafur Annibynnol, yn swyddog yn undeb y gweithwyr siopau ac yn ohebydd i *Llais Llafur*. A'i ysgyfaint yn wan, ni fu raid iddo ymaelodi â'r lluoedd arfog a threuliodd ran gyntaf y rhyfel fel hyfforddwr gyda'r YMCA. Yn 1917, daeth yn drefnydd Undeb y Gweision Fferm yng ngorllewin Cymru a bu'n gymar i D. J. Williams yn y gwaith o sefydlu'r Blaid Lafur yn Sir Benfro. Buasai gan James Griffiths gof annwyl amdano a bu'n ceisio argyhoeddi Keir Hardie fod angen rhoi mwy o sylwedd Cymreig i drefniadaeth y Blaid Lafur yng Nghymru.

Crybwyllwyd enw John fel yr ymgeisydd Llafur yng Ngheredigion yn 1918 ond doedd dim arian gan y blaid yn y sir ac ofnwyd y byddai ei sylwadau bachog ar agweddau cyflogwyr gweision fferm yn debyg o godi gwrychyn ffermwyr yr etholaeth. (Ar amgylchiadau'r gweision fferm, gweler llyfr ardderchog David A. Pretty, *The Rural Revolt that Failed*.) Er yn amheus o Farcsiaeth, ymfalchïai mai ef oedd yr unig un i ddarllen y cyfan o gopi llyfrgell Tonypandy o gyfieithiad Saesneg *Das Kapital*. Priododd Ruby o Wlad yr Haf, dynes a fuasai'n ymgeisydd Llafur yn etholaeth Wells yn 1929. I rywun sy'n gyfarwydd â'r parthau hynny, afraid yw dweud na wnaeth ennill y sedd. Roedd cyfran helaeth o bobl amlwg Cymru yn parchu John Davies. Nododd W. J. Gruffydd yn y *Llenor*: 'Ar ôl marw John Morris-Jones a John Williams Brynsiencyn, dim ond un John oedd yng Nghymru', a chyhoeddwyd llyfryn arno gan Wasg Gregynog yn dilyn ei farwolaeth yn 1937. Bu ymlyniad John Davies at y gwlatgar a'r blaengar yng Nghymru yn ysbrydoliaeth i mi ar hyd y blynyddoedd. Ond ni theimlais fy mod yn etifedd llawn o'i weledigaeth wleidyddol nes i mi fynd i Bontrhydfendigaid ym mis Gorffennaf 2007 i gefnogi'r cytundeb rhwng y Blaid Lafur a Phlaid Cymru i sefydlu llywodraeth Cymru'n Un. (Tybed a wyddai trefnwyr y cyfarfod mai 7 Gorffennaf 2007 oedd union saith can mlwyddiant marw Edward I?)

Bu farw John ychydig fisoedd cyn fy ngeni ac felly dim ond un enw a ystyriwyd ar fy nghyfer. Pan ddywedais wrth Mam y byddwn wedi hoffi cwrdd â'm hewythr, ei hateb hi

– o gofio teitl nofel E. M. Forster – oedd: 'Fe fyddet ti wedi bod yn dyst i'w angladd, pe bai'r fath beth â "womb with a view".' Yr oedd gweddw John yn argyhoeddedig y byddai ei gŵr wedi dod yn arglwydd pan fyddai'r Blaid Lafur yn ffurfio llywodraeth. Awgrymodd y byddai'n perswadio'r awdurdodau i sicrhau *special remainder* i mi; gogleisiol yw'r syniad y medrwn fod wedi bod yn aelod o Dŷ'r Arglwyddi yn fy mhlentyndod. Fodd bynnag, rwy'n sicr na fyddai'r cais wedi cael ei ganiatáu.

Yn sgil ei haelodaeth o Fudiad Addysg y Gweithwyr a'i hymweliadau â Choleg Harlech, daeth Mary Potter i adnabod John Davies yn dda. Daeth hyd yn oed yn fwy cyfeillgar gyda'i frawd, Daniel. Priodasant yng Nghapel Bethlehem, Treorci, yn 1933, a chynhaliwyd neithior ym Mhontypridd yng nghwmni disgynyddion David, hen ewythr Mary. Treuliasant eu mis mêl ym Moelfryn a chofiodd Mam ei bod wedi cael swllt yno gan Harriet Potter, ei mam-gu uniaith Saesneg, am lefaru enw llawn Llanfairpwllgwyngyll.

Roedd Daniel a John yn gyfeillion mawr. Ond cythruddwyd Daniel gan duedd John i fynnu ei fod ef, fel ysgrifennydd Mudiad Addysg y Gweithwyr, yn aelod o'r dosbarth gweithiol, tra oedd Daniel gyda'i weithdy saer a dau o gyflogedigion yn aelod o'r dosbarth canol. Yr oedd y gwrthgyferbyniad rhwng eu bywydau yn amlwg. Nid pawb a gredai y medrai nodi mewn llythyr at gyn-ysgrifennydd y cabinet, fel y gwnaeth John ar achlysur genedigaeth fy chwaer: 'Last Thursday, I became an uncle.'

Trigai John yn Wenallt Road, Rhiwbeina, mewn tŷ a fyddai'n gwerthu am o leiaf hanner miliwn o bunnau heddiw, tra trigai Daniel yn y tŷ teras yn Nhreorci a etifeddwyd gan ei wraig. Âi John ar wyliau gyda Thomas Jones i fannau fel Copenhagen, ond yr unig daith tramor a gafodd Daniel oedd ei ymdaith drwy'r Negev yn y frwydr i gipio Jerwsalem –

ymdaith a'i heintiodd â malaria, afiechyd a'i gwanychodd am weddill ei oes. Trefnwyd i deulu pob milwr a fu'n bresennol yn y frwydr lwyddiannus i gipio Jerwsalem dderbyn croes addurnedig. Wn i ddim beth oedd barn fy mam-gu am y rhodd, a hithau'n aelod ffyddlon o gapel Daniel Rowland yn Llangeitho. Dilynais ymdaith Cyffinwyr De Cymru yn y Negev, a diddorol oedd darganfod llu o benillion Cymraeg ar gerrig beddau yn Beersheba – beddau gwŷr ifainc yr oedd fy nhad yn sicr yn eu hadnabod. Hoffais yn arbennig y llinellau:

Hwyliodd yn wyn o Walia
Trwy y drin, wron da
I hir saib ym Meersheba.

Bu'n rhaid i Mam ymddiswyddo pan briododd, gan i'r Rhondda, fel llawer ardal lofaol, ddiffinio gyrfa bron yn llwyr mewn termau gwrywaidd. (Darfu i athrawes a oedd yn gyfeilles iddi hi briodi'n gyfrinachol. Ddwy flynedd yn ddiweddarach, fe'i diswyddwyd am anfoesoldeb, gan y credid bod ei beichiogrwydd amlwg yn golygu y byddai'n fam ddibriod.) Lluniodd un o'i chydnabod ffug hysbyseb am swydd mewn ysgol yn y Rhondda: 'Ability desirable; dedication optional; testicles essential.' Pan ddaeth y rhyfel yn 1939, roedd Cyfarwyddwr Addysg y Rhondda wrth y drws yn dweud bod y dynion wedi mynd, a bod swydd i Mam. Treuliodd trwch blynyddoedd y rhyfel yn athrawes yn Ysgol Penyrenglyn ond, yn 1945, roedd y Cyfarwyddwr wrth y drws eto, y tro hwn yn dweud bod y dynion yn dod yn ôl ac y byddai swydd fy mam yn dod i ben. (Mae pethau wedi gwella erbyn hyn.)

Bu blynyddoedd cynnar yr Ail Ryfel Byd yn gyfnod anodd i'm tad. Diflannodd y dynion a gyflogai i'r fyddin; roedd wrthi bob nos yn gwylio gyda *fire watchers* Treorci a chynyddodd ei lwyth gwaith oherwydd y difrod a achoswyd gan y bomio yng Nghwm-parc. (Ef a wnaeth ail-doi neuadd enwog y Parc a'r Dâr.) Oherwydd gorweithio ac effeithiau malaria roedd yn ymylu at fod yn orweddog erbyn diwedd y rhyfel. Doedd dim sicrwydd y byddai'r Rhondda, wedi'r rhyfel, yn barod i ganiatáu i athrawesau priod barhau yn eu swyddi, hyd yn oed os mai'r wraig oedd yr unig aelod o'r teulu a fedrai ennill cyflog. Erbyn diwedd y rhyfel, roedd Mam yn cynnal pedwar o bobl ond aeth ei swydd i ŵr ifanc hanner ei hoedran oedd yn byw gyda'i rieni.

Felly, blaenoriaeth Mam oedd dod o hyd i bwyllgor addysg a fyddai'n sicrhau iddi hi'r modd o gynnal ei theulu. Ganol y rhyfel, cynigiwyd iddi brifathrawiaeth ysgol gynradd Tintinhull, pentref ger Yeovil yng Ngwlad yr Haf. Yr oedd tŷ yn mynd gyda'r swydd ond pan aeth fy nhad i weld y lle, daeth i'r casgliad fod y tŷ yn rhy fach i deulu o bedwar. Yr oeddwn yn ifanc iawn ar y pryd ond cofiaf gael yr argraff nad oedd fy nhad yn awyddus i fyw mewn pentref mor Seisnigaidd, Torïaidd ac Anglicanaidd; un o ysgolion Eglwys Loegr oedd ysgol Tintinhull a disgwylid y byddem yn mynychu eglwys y plwyf. Yr oedd fy nhad yn hoff o'r sylw am Archesgob Caergaint: 'O, Cosmo Lang, how full of cant you are.' Bellach, nid pawb sy'n deall y sylw hwn; Cantuar yw byrfodd teitl Archesgob Caer-gaint, a Cosmo Lang oedd yr archesgob o 1928 hyd 1942. (Mwy o syndod i 'nhad fyddai clywed am awydd gwladgarwyr Cymreig y dyddiau hyn i anwesu'r Hen Estrones.)

Felly, cefnwyd ar y syniad o symud i Tintinhull. Mi fûm yn ymweld â'r pentref ac rwyf wedi pendroni droeon ynglŷn â'm tynged pe bai'r symud wedi digwydd. Mae'n ardal brydferth ac mae Tintinhull o fewn cyrraedd hwylus i Montacute, un o dai a gerddi gorau'r Ymddiriedolaeth Genedlaethol. Roedd rheolwr yr ysgol, perchennog gerddi hyfryd Tintinhull House, hefyd yn ffigwr grymus ar bwyllgor ysgol Sherborne, ac awgrymodd i Mam y gallwn i fod yn ddisgybl yno rywbryd. Rhyddhad i mi bellach yw fy mod wedi osgoi'r profiad hwnnw.

Roeddem yn trigo yn Nhreorci drwy gydol yr Ail Ryfel Byd ac edrychaf yn ôl ar flynyddoedd enbyd 1939 hyd 1945 gyda chryn hiraeth. Byddai fy chwaer a minnau'n mynd i'r pictiwrs yn y Pafiliwn bob bore Sadwrn, a gwelais yno ffilmiau cyffrous ar gwrs y rhyfel. Cofiaf yn arbennig luniau o'r dŵr yn strydoedd Rotterdam gyda'r trigolion yn hwylio trwy'r ddinas ar fordydd wedi'u troi wyneb i waered. Yn y prynhawn, byddem yn mynd i'r parc ger yr orsaf rheilffordd, lle roedd cyfoeth o adloniannau. Ymserchais yn fawr yn y llwyni a dyfai yn y parc a chael blas ar fwyta dail y berberis. Hoffwn y binwydden Chile a dyfai o flaen Tremle, yr unig blasty yn Nhreorci, a'r lafant a lifai dros furiau gardd Tŷ Top yn Heol Stuart. Yr oeddem wrth ein boddau'n mynd i glywed y tafleisydd Tomi Porthcawl, a berfformai yn Heol Bute, Treorci. Awn i Gapel Bethlehem ar y Suliau, lle mynychai'r plant ysgol Sul Saesneg pan ddechreuai'r bregeth Gymraeg. Cefais flas ar yr ysgol honno, ac fe ddeuthum yn fedrus yn dylunio tai to fflat fel y rhai y credwn a fodolai ym Mhalesteina. Yr oedd disgwyl i blant y capel fynd i'r Gobeithlu, lle dysgwyd ni i ganu 'Dring i fyny yma, dring, dring, dring'. Ond, ac odid neb ohonom â gafael gadarn ar y Gymraeg, yr hyn a ganem oedd 'Drink, drink, drink' – cytgan anaddas braidd i'r Gobeithlu.

Cofiai Mam gymryd rhan mewn gorymdaith a drefnodd aelodau Bethlehem er cof am golledigion y *Titanic*, a chofiai hefyd giwio am awr a mwy er mwyn cael sedd yn oriel Bethlehem adeg diwygiad 1904/05. Hi a'm cyflwynodd i Evan Roberts pan oeddwn yn fy arddegau cynnar ac yntau yn ei saithdegau ac yn byw yn Rhiwbeina ar bwys cartref fy

Modryb Ruby. Er na fyddai ei mam yn golchi llestri cinio dydd Sul tan ddydd Llun, ni chredaf fod ei merch yn coleddu syniadau Cristnogaeth uniongred. Er iddi glywed miloedd o bregethau a oedd yn pwysleisio mai'r hanfod yw ffydd, ei hoff ddyfyniad oedd sylw Bernard Shaw: 'Barnwch bobl nid yn ôl eu ffydd broffesedig, ond yn ôl y rhagdybiaethau y maent yn seilio eu gweithgareddau dyddiol arnynt.'

Rwy'n amau hefyd nad oedd fy nhad yn Gristion, fel y dehonglir y ffydd honno gan selogion Cristnogaeth, er ei fod yn hoffi mynd â mi i fwyty'r mudiad crefyddol Toc H yn Nhreorci, lle roedd yr aelodau wrth eu boddau yn fy ngweld yn gwisgo hetiau gweithwyr bysys a gweithwyr rheilffyrdd. Teimlaf fy mod yn ffodus i beidio bod â gweinidogion ymhlith fy hynafiaid. Mae hynny'n caniatáu i mi fod yn anffyddiwr heb ofni fy mod yn 'cywilyddio'r tadau yn eu heirch'.

Yn ddiweddarach, sylweddolais fod o leiaf filiwn o bobl yn byw yn y fro rhwng Pont-y-pŵl a Llanelli, gyda'r Rhondda fel ei chalon. Felly, fe fu'n ardal drefol bron mor boblog â Glasgow neu Birmingham. Ond ei chorneli gwledig a gofiaf yn bennaf. Breuddwydiwn fod modd cwrso Almaenwyr yn fforestydd Tyle Du a Thyle Coch, a chefais fy nghyffroi gan yr hanes fod bom wedi cwympo ar fynwent Treorci a leolid ar y moelni uwchlaw'r dref; gwyddwn mai yno y claddwyd rhieni fy mam ac roedd gennyf awydd mawr i'w gweld. 'Dim ond penglog, ar y gorau, fydd yno,' meddai Mam, ond teimlais y byddai gweld penglog fy mam-gu yn fraint ynddi'i hunan. Byddai fy nhad yn mynd â mi am dro i flaenau Cwm Orci, ac unwaith, pan deimlai'n arbennig o heini, aeth â mi i fryngaer Maendy – y cyntaf o'r cannoedd o henebion rwyf wedi ymweld â hwy.

Byddwn yn bracso yn afon Rhondda Fawr ac yn dychmygu mai math o siocled oedd yr haen o lo mân ar wyneb y dŵr. Hyfryd oedd sglefrio ar hambyrddau i lawr ochrau'r tipiau lleol a chwarae cwato ym mhorfa goeth caeau Glyncoli. Doedd odid yr un car yn Heol Dumfries ac roedd modd chwarae yng nghanol yr heol. Gan fod pawb yn ein hadnabod, medrem grwydro'r bryniau a doedd neb yn becso, cyhyd â'n bod yn dychwelyd cyn iddi nosi. Roedd y llochesi rhag y bomio yn guddfannau hyfryd ac roedd dogni dillad yn fendith gan iddo olygu nad oedd yn rhaid meddwl beth i'w wisgo. Roedd gennym ddillad *utility*, pob un yn dwyn y label 'Made in England', a dychmygwn mai ffactri rywle rhwng Pentre a'r Porth oedd 'England'. Yn Nhreorci ei hun, y lle yr ymserchais fwyaf ynddo oedd siop Thomas Gower yn Heol Bute; yno ceid gwifrau a gludai botiau arian o'r man gwerthu at y swyddog a drefnai'r newid ac anfonai hwnnw'r newid yn ôl ar y gwifrau i'r man gwerthu.

O'i gymharu â heddiw, roedd afiechydon yn rhemp yn Nhreorci ddechrau'r 1940au. Roedd bron pob dyn canol oed a adnabûm â chreithiau ar ei wyneb ac roedd Mam, a hithau'n aelod o deulu a oedd wedi dioddef yn fawr yn sgil trasiedïau mewn glofeydd, yn teimlo'n falch pan glywai fod pwll glo yn cau – safbwynt a oedd, er gwaethaf llawer o rethreg, yn fwy cyffredin nag a sylweddolir yn aml, yn enwedig ymhlith menywod.

Dioddefai llawer o fenywod o chwydd y gwddf (*goitre*), fy Modryb Rachel yn eu plith. Roedd hi'n waeth ar ei gŵr, fy Ewythr Dai; roedd ef yn dioddef o glefyd y llwch a threuliai oriau yn cerdded o rif 70, Heol Dumfries i rif 59, ein tŷ ni, gan ei fod ar ei daith yn gorfod eistedd am gyfnod hir ar bob sìl ffenest er mwyn iddo gael ei wynt ato. Ac yntau'n sylweddoli mai byr fyddai ei einioes, llanwodd ei ardd gefn â'r glo a gâi'r glowyr yn rhad, fel y byddai ei wraig yn gynnes yn ei gweddwdod. Yr oedd caliperau ar goesau llawer o'r plant – canlyniad y llech a ddeilliai o amddifadedd yn ystod y Dirwasgiad.

Fe gefais i, fel trwch fy nghyfoedion, lu mawr o afiechydon: niwmonia, y dwymyn goch, rwbela, clwyf pennau, brech yr ieir, y frech goch, y pas a thonsilitis. Credaf fod y gwrthgorffynnau a ddatblygodd ynof y pryd hwnnw wedi sicrhau i mi o leiaf drigain mlynedd o iechyd. Pan oeddwn yn dioddef o'r dwymyn goch, bu'n rhaid i mi dreulio cyfnod yn ysbyty heintiau Tŷ'n Tila. Ergyd i mi oedd gweld Mam a Modryb Bet yn edrych arnaf drwy'r ffenest ond ddim yn dod i mewn i'r ystafell. Mwy o ergyd oedd y ffaith fod yr ysbyty wedi mynnu llosgi fy mhanda gwlanog cyn y cawn adael y lle. (Dywed fy chwaer mai hi oedd pia'r panda.)

Ymwelais eto â Thŷ'n Tila, a hynny ar gais Cyngor Rhondda Cynon Taf i lunio adroddiad ar yr unig dŷ hir yn y Rhondda (neu tŷ dau-ben, fel y dywedid yng Ngheredigion); yr oedd gobaith y gellid adfer hen ffermdy Tŷ'n Tila a'r adeiladau o'i gwmpas, ond roedd adnoddau'r Cyngor yn annigonol. Ar achlysur yr ymweliad, cefais ginio yn nhafarn y Cardiff Arms yn Heol Bute yn Nhreorci. Wrth glywed yr acenion o'm cwmpas sylweddolais fy mod, ar ôl blynyddoedd lawer, wedi dod adref.

Dechreuais yn Ysgol y Babanod, Treorci, yn 1942 pan oeddwn yn bedair oed. Rhaid i mi gyfaddef fy mod i a'm cyfeillion wrth fynd i'r ysgol yn gwneud wynebau surbwch y tu allan i ffenestri'r tai nad oedd â phiano yn yr ystafell flaen. Byddem hefyd yn cicio'r bwcedi llwch glo a oedd o flaen pob tŷ ac yn cwrso'r defaid a ddeuai o'r mynydd i fwyta unrhyw beth bwytadwy yn y bwcedi. Yr oedd fy chwaer wedi dechrau'r ysgol yn 1940, pan oedd y Rhondda newydd gefnu ar ei pholisi hirhoedlog o sicrhau bod cyfran o athrawon – neu, yn fwy tebygol, athrawesau – Ysgol y Babanod yn medru'r Gymraeg. Roedd ambell blentyn uniaith Gymraeg yn cyrraedd ysgolion meithrin y Rhondda cyn hwyred â diwedd y tridegau, ond erbyn 1940 yr athrawon a oedd wedi dod gyda'r efaciwîs o Lundain oedd wrth y llyw. Roedd fy chwaer wedi'i chodi yn Gymraeg ac nid oedd yn gallu deall y cwbl oedd yn mynd ymlaen. Aeth Mam i gwyno a'r ateb a gafodd oedd: 'Don't you know there's a war on, and that England is in danger?'

Dichon mai dyna oedd wrth wraidd y ffaith mai'r Saesneg oedd yr iaith a glywn fwyaf gartref. Er bod o leiaf hanner oedolion Treorci yn siarad Cymraeg mor ddiweddar ag 1951, ac yn cadw mesur o gysylltiad â chapeli Cymraeg, ychydig iawn a bryderai bryd hynny am ddyfodol yr iaith yn y Rhondda. Roedd gennyf lu mawr o fodrybedd ac ewythrod – doedd odid un yn berthynas gwaed – ac roedd yr hynaf o'r rheini bron i gyd yn hollol rugl eu Cymraeg. Ymhlith fy nghyfoedion, yr unig blant a oedd â gafael ar yr iaith oedd y rheini a dreuliai bron y cwbl o'u gwyliau ysgol yn y pentrefi Cymraeg yr oedd eu rhieni'n hanu ohonynt. Dyna hanes Cennard Davies, a chofiaf ef flynyddoedd yn ddiweddarach yn sôn am ei siom o ddarganfod bod plant y pentref gwledig yn Sir Gaerfyrddin, lle treuliodd gryn dipyn o'i blentyndod, bellach yn dewis sgwrsio gyda'i gilydd yn Saesneg. Ni chofiaf i ni glywed Cymraeg o gwbl yn Ysgol y Babanod ac ar ddiwedd y dydd disgwylid i ni ganu:

Now the day is over,
Night is drawing nigh;
Shadows of the evening
Steal across the sky.

Yr hyn a gofiaf yn arbennig am Ysgol y Babanod oedd y mwgwd nwy 'Mickey Mouse' yr oedd disgwyl i ni ei gario i'r ysgol bob dydd, a'r dos o sudd oren ac olew afu penfras (*cod liver oil*) a dderbyniem bob bore. Yr oedd y dogni bwyd yn ddiddorol hefyd. Câi pob unigolyn beint o laeth y dydd, ac oherwydd awydd pawb i gael popeth yr oedd ganddynt hawl iddo, yfwyd mwy o laeth yn y Rhondda yn ystod y rhyfel nag yn y degawdau blaenorol. Yn wir, roedd iechyd pobl y cwm yn well yn 1945 nag ydoedd yn 1939. Niwsans i ni'r plant oedd y dogni ar losin, ond roedd hen ddynion (ac yr oedd llawer ohonyn nhw yn Nhreorci) yn tueddu i adael eu cwponau mewn siopau losin. Nid oeddynt yn gwneud defnydd ohonynt ac felly roeddem ni'n cael mwy na'n siâr o siocled a phethau tebyg. Er bod teithio'n anodd, gwefr oedd mynd i'r Barri i ymdrochi yn y môr ac edmygu'r balwnau amddiffyn a hofrannai uwchben y dociau. Pan oeddwn yn dair oed, buom am wyliau ym Marcroes, ger Sain Dunwyd – y digwyddiad cynharaf i mi ei gofio.

Ddwy flynedd yn ddiweddarach, aethom i Aberaeron, gan deithio ar y trên hudolus o Dreherbert i Flaengwynfi ac ymlaen heibio Abertawe, Llanelli, Castell Cydweli a Chaerfyrddin, ac yna ar reilffordd Dyffryn Aeron o Lambed i Aberaeron. Gresyn nad yw'r rheilffordd hyfryd honno gyda ni bellach; cofiaf adrodd yn afieithus enwau'r gorsafoedd olaf ar y lein: Ciliau Aeron, Llannerch Aeron ac Aberaeron. Cwrddasom â pherthnasau i Mam a oedd wedi aros yn y parthau hynny, gan gynnwys fy Ewythr Jacob a oedd yn cadw gwenyn yng Ngheinewydd. Mi fuom yn Llangeitho am y tro cyntaf, er mawr foddhad i'm tad, nad oedd wedi bod ym mhentref ei febyd ers degawd a mwy. Yr hyn y bu fy chwaer a minnau'n ei wneud yn Aberaeron oedd casglu *hips* a *haws* (ffrwyth y rhosyn a'r ddraenen wen), aeron yr ystyrid bod eu casglu yn hanfodol i lwyddiant Prydain yn y rhyfel.

Yr oedd cyfnod y rhyfel a'n cyfnod ni yn y Rhondda ar fin dod i ben, ond rwy'n gwbl ymwybodol mai fy magwrfa yn y Rhondda sydd wedi fy niffinio am weddill fy oes. Ni ddylem hiraethu am y rhyfel, ond mi wnes i hiraethu am y Rhondda, er bod broydd ac anturiaethau newydd o'm blaen.

2

Bwlch-llan

1945–56

DAETH Y RHYFEL yn Ewrop i ben ar 8 Mai 1945 (VE Day), a chofiaf y parti mawr yn Heol Dumfries. Arbennig o gofiadwy oedd y golau llachar o flaen Neuadd y Parc a'r Dâr – sioc i rywun fel fi nad oedd â chof o weld golau mewn stryd erioed. Buan y daeth Eidalwyr Treorci yn ôl o'u carchariad ar Ynys Manaw, a chawsom flasu hufen iâ am y tro cyntaf yng nghaffi'r teulu Sidoli. Rhwng VE Day a diwedd y rhyfel â Japan ar 15 Awst 1945 (VJ Day), cafodd Mam swydd barhaol fel prifathrawes Ysgol Gynradd Bwlch-llan, tua thair milltir o Langeitho. Symudasom i Geredigion ar VJ Day, gan fynd eto dros y mynydd i Flaengwynfi, a thrwy gydol y daith roeddem yn dystion i'r partïon yn y strydoedd a'r llu mawr o jaciau'r undeb. (Yr oeddwn yn ddeuddeg oed cyn i mi weld baner y Ddraig Goch.)

Gan fod aelod o'r teulu'n ymwneud ag addysg yng Ngheredigion (maes y byddai nifer ohonynt yn ymwneud ag ef), ac eraill o'r teulu wedi bod yn amaethwyr, yn forwyr ac yn fwynwyr plwm, sylweddolais fod ein teulu ni wedi cyfrannu at yr hyn a fu am genedlaethau yn bedwar conglfaen economi Ceredigion. Bu Mam yn eithriadol lwyddiannus fel prifathrawes Bwlch-llan, fel y tystia Prif Weithredwr Ceredigion, Bronwen Morgan, a'r addysgwr John Albert

Evans. Mi fedraf innau dystio i hynny hefyd, gan mai ganddi hi y cefais yr unig addysg ffurfiol a ddaeth i'm rhan am bedair blynedd. Cofiaf, gyda hiraeth, allu Mam i droi storïau'r Hen Destament yn anturiaethau hudolus. Erbyn fy mod yn un ar ddeg, yr oeddwn wedi cael fy nhrwytho mewn rhifyddeg i'r graddau y medrwn fod wedi disgleirio mewn arholiadau Lefel O yn y pwnc. Diddordeb mwyaf Mam oedd dysgu'r hyn a alwai'n broblemau mathemategol – cyfuniad o resymeg ac algebra.

Rwy'n amau ai Bwlch-llan fyddai wedi bod yn ddewis cyntaf gan Mam. Gan ei bod yn gyfarwydd â chymdeithas dorfol Treorci, anodd iddi oedd dygymod â phentref ac ynddo dim ond saith o dai. Siom iddi oedd prinder y dewis yn nwy siop y pentref. (Mae gan John Albert yn ei hunangofiant, *Llanw Bwlch*, stori ddifyr am ei hymgais i brynu papur tŷ bach yn un o'r siopau.) Fe fu am flynyddoedd yn gyfarwydd â defnyddio trenau a bysiau, a diflastod felly oedd bod mewn pentref di-fŷs. Y siom fwyaf oedd byw mewn tŷ heb drydan na dŵr yfed. Roedd trydan yn ddieithr i bawb, a chofiaf bobl a ddeuai i'r mart yn Nhregaron yn ceisio tanio sigarét o fwlb golau. Pan ddaeth cynnal ysgolion bach gwledig yn bwnc llosg, ni chofiaf i Mam fynegi teimladau cryfion ar y mater. Derbyniais alwad ffôn yn gofyn i mi ddechrau deiseb pan oedd si fod ysgolion gwledig y sir o dan fygythiad.

'Pam?' gofynnais.

'Achos bod nhw 'na,' oedd yr ateb.

Rwy'n amau na fyddai Mam wedi llofnodi'r fath ddeiseb. Gan ei bod hi wedi dysgu am ugain mlynedd a mwy mewn ysgol un athro, nododd y gallai fynd am fis a mwy heb gwrdd ag unrhyw oedolyn yn ystod ei horiau gwaith. Profais innau rai teimladau tebyg; deunaw o blant oedd yn Ysgol Bwlch-llan ac anaml yr âi mwy nag un disgybl oddi yno i'r ysgol uwchradd. Pan es i i Ysgol Ramadeg Tregaron doeddwn i

ddim yn gwybod sut oedd ymwneud â'm cyfoedion; dysgais
fwynhau bod ar fy mhen fy hun, cyflwr yr wyf yn ymserchu
fwyfwy ynddo.

Ond diflannodd pob amheuaeth ynglŷn â bod ym Mwlch-
llan oherwydd haelioni ein cymdogion. Crwydrasom holl
lwybrau plwyf Nancwnlle ac yr oedd croeso i ni ym mhob tŷ.
O gefn Tŷ'r Ysgol (neu Ael-y-bryn, fel roedd pawb yn ei alw),
medrem weld o leiaf ugain o ffermdai ac mi sylweddolais
ein bod wedi cael te neu swper ym mhob un ohonynt. Yr
oedd caredigrwydd y trigolion yn gofiadwy. Bob mis Hydref
câi pobl y tai bach (tai heb dir) gyflenwad o gig mân – y cig
mochyn nad oedd modd ei halltu. Roedd John Davies y Siop
mor hoff o gig mân fel y byddai'n rhaid iddo dreulio mis
Tachwedd bob blwyddyn yn Llanwrtyd er mwyn iddo wella
o'i loddesta. Cerddodd rhai o'n cymdogion drwy'r eira dwfn
i Fronnant adeg gaeaf 1947 oherwydd y si fod yno fara y
medrent ei gludo yn ôl i'w rannu ymhlith eu cyd-bentrefwyr.
Yr oedd cwrteisi'r trigolion yn ddiarhebol hefyd. Os oedd
arnom ni arian i rywun, fyddai neb yn galw'n unswydd i
gyflwyno bil. Roedd yn rhaid rhoi'r argraff mai pwrpas yr
ymweliad oedd cael y pleser o gwrdd a siarad â ni. Cyflwynid
y bil wrth sleifio allan drwy'r drws ar ôl cael ymgom o awr
neu ddwy.

Cofiaf i gymydog newydd ofyn a oedd gan y trigolion air
tebyg i'r Sbaeneg *mañana*. Yr ateb oedd ein bod yn amddifad
o air a oedd yn awgrymu'r un lefel o angen i brysuro i
weithredu. Trigai hen wraig ar ei phen ei hun yn y pentref;
âi o dŷ i dŷ bob dydd lle câi ddau bryd o fwyd yn gyfnewid
am eistedd wrth y tân yn troi tudalennau'r *Welsh Gazette*
yn sbils. Y *Welsh Gazette* oedd ein papur ni – y cyhoeddiad
a gefnogodd Llywelyn Williams yn erbyn ymgeisydd
Lloyd George yn isetholiad Ceredigion yn 1921. Mi gofiaf
longyfarch Geraint Howells a'i wraig am ryw weithgarwch

radicalaidd neu'i gilydd. 'Cofiwch,' meddai hi, 'i'n hynafiaid fod yn bobl Llywelyn Williams.' Wedi marwolaeth y *Welsh Gazette* bu'n rhaid i ni fodloni ar y *Cambrian News*. Ni welais erioed unrhyw dystiolaeth o gybydd-dod honedig trigolion Ceredigion, er bod aml i Gardi yn cael blas o gyfeirio ato. Hoff stori Mari James, Llangeitho, oedd honno'n ymweud â thrempyn a grwydrai yn Nyffryn Teifi. Casglai ddom da o'r cae a mynd at ddrws ffermdy i ofyn am halen i roi blas ychwanegol i'r dom y bwriadai ei fwyta i ginio. Pan fyddai ar ochr Sir Gaerfyrddin i'r afon, byddai gwraig y fferm yn arswydo ac yn gwahodd y trempyn i mewn i gael pryd da o fwyd. Pan oedd ar ochr Ceredigion, sylw gwraig y fferm oedd, 'Peidiwch bwyta'r dom 'na; mae peth ffres gyda ni yn y beudy.'

Roedd trwch trigolion Bwlch-llan yn Rhyddfrydwyr selog – credo di-gynnwys iawn yn ôl fy nhad. Ar drothwy pleidleisio am y tro cyntaf, gofynnais i gynghorydd sir Rhyddfrodol beth oedd ei bolisi ar ysgolion cyfun ac arwyddion ffyrdd dwyieithog, a'i ateb oedd: 'Roedd fy nhad, fy ewythr a'm tad-cu yn gynghorwyr sir, felly does dim angen i mi ateb cwestiynau gan lencyn.' Ofnai Roderic Bowen, Aelod Seneddol Rhyddfrydol Ceredigion, y byddai'r Ceidwadwyr yn codi ymgeisydd yn ei erbyn ac felly hanfod ei areithiau yn y pentref oedd ymosod ar bob arlliw o sosialaeth. (Bryd hynny, disgwylid i bob ymgeisydd annerch ym mhob pentref.)

'Bydd llywodraeth Lafur,' meddai yn 1955, 'yn sicr o geisio gwladoli'r tir.'

'Pwy fydd yn prisio ein ffermydd?' gofynnodd un o ddyddynwyr tlotaf y pentref.

'Y prisiwr o Gaerfyrddin, mae'n debyg,' oedd yr ateb.

'Da iawn,' meddai'r tyddynnwr. 'Mae'n berson teg iawn ac rydym yn sicr o gael arian sylweddol.'

Disgrifiodd Bowen ei ymweliad â Gwlad Pwyl: 'Roedd peiriannau ym mhob ystafell i glustfeinio ar ein sgwrs.' Yn ôl y si, cafodd afael ar sbaner ac aeth ati i ddatgymalu'r peiriannau; datgymalodd un ar ganol y llawr a chwympodd siandelïer ar ben parti a oedd yn gloddesta yn yr ystafell oddi tano.

Fodd bynnag, ychydig o gydymdeimlad tuag at y Blaid Geidwadol oedd gan y pentrefwyr. Roeddent yn hoff o'r stori am y sgweier lleol, Rogers Lewis o Blas Abermeurig, yn dod gyda'i farchwas i bleidleisio yn Ysgol Bwlch-llan yn etholiad 1885. Rhyfeddod i Rogers Lewis oedd gweld ei was hefyd yn pleidleisio ond bu'n rhaid iddo dderbyn bod Diwygiad Seneddol yn golygu bod gan hwnnw'r hawl i bleidleisio hefyd.

'Pwy gafodd eich pleidlais?' gofynnodd.

'Y Rhyddfrydwr,' oedd ateb y gwas.

'Pleidleisies i i'r Tori,' meddai Rogers Lewis. 'Bydde hi wedi bod yn well pe bai'r ddau ohonom wedi aros gartre.'

Teulu Plas Abermeurig oedd un o'r ddau deulu 'bonheddig' a drigai yn ein hardal. Y llall oedd teulu Hext Lewes yn Llanllŷr. Roedd gan y teulu hwnnw dŷ gwydr mawr a thyfent rawnwin. Cofiaf ddynes yn Nyffryn Aeron, dynes enwog am ei gwin blodau ysgawen, yn gofyn: 'A fedrwch chi wneud gwin o *grapes*?' Pan aeth Hext Lewes a'i gŵn ar draws ei gardd a gweiddi 'Tally Ho!', fe waeddodd hi, 'Nid talu 'to, talu nawr.' Cynhaliai Mrs Hext Lewes gangen o'r Girl Guides yn ei phlasty ond dim ond merched Saesneg iaith gyntaf a wahoddid yno. Roedd si fod un o'r Lewesiaid wedi ymaelodi â'r Blaid Lafur ar ei wely angau gan ei fod yn teimlo, os oedd raid i rywun fynd, ei bod yn well i'r ymadawedig fod yn un ohonyn nhw yn hytrach nag yn un ohonom ni.

Glynodd fy rhieni at draddodiadau Llafurol y Rhondda. Pan ddywedodd Aneurin Bevan: 'The Tories are lower than vermin', sylw un ohonynt oedd: 'Pam mae'r dyn mor garedig ynglŷn â nhw?' Mynnodd fy rhieni fy mod yn y Rhondda ar Vesting Day, 1 Ionawr 1947, pan ddaeth perchnogaeth breifat ar byllau glo i ben. Yn ddiweddarach, sylweddolais fy mod, uwchlaw dim, yn blentyn llywodraeth Attlee. Y duedd yw darlunio blynyddoedd y llywodraeth honno fel Oes y Llymder ond, i'r rheini ohonom a oedd yn ein plentyndod y pryd hwnnw, yr hyn a gofiwn oedd cael pethau newydd yn gyson – orenau heddiw, bananas yfory, grawnwin yr wythnos ddilynol ac wedyn fisgedi Penguin, moethau siocled yr oedd modd eu prynu heb gwponau.

Gorchest fwyaf y cyfnod oedd sefydlu'r Gwasanaeth Iechyd, antur feiddgar o gofio bod dyledion Prydain fel canran o'i hincwm yn llawer uwch yn 1948 nag ydyw heddiw. Awduron y cynllun oedd Aneurin Bevan a James Griffiths, ac roeddynt yn adeiladu ar waith Lloyd George; o ganlyniad, cododd y syniad fod ymlyniad at degwch cymdeithasol yn gwbl ganolog i werthoedd y Cymry.

Cefais driniaeth am yr atodiadwst (*appendicitis*) yn 1951, triniaeth yr wyf yn amau na allai fy nheulu fod wedi gallu ei fforddio. Yn ein mis cyntaf ym Mwlch-llan daeth llu o bobl i'r tŷ gydag arian i dalu am yr hawl i gael gwely yn Ysbyty Aberystwyth. Syndod i Mam oedd y taliadau – a hithau'n gyfarwydd â'r lled wladwriaeth les a oedd wedi dod i fodolaeth yn y Rhondda – ond trefnodd i'w hanfon ymlaen, gan fod disgwyl mewn pentrefi gwledig i bennaeth yr ysgol leol fod yn weithwraig les ddi-dâl. Mam oedd swyddog llywyddol etholiadau ym Mwlch-llan ac felly, teimlai na ddylai ddweud dim yn gyhoeddus am ei hagweddau gwleidyddol. Ni soniodd erioed am y modd y pleidleisiai, er fy mod yn ffyddiog iddi bleidleisio yn 1950 i'r ymgeisydd

29

Llafur diddorol Iwan Morgan, i'r ymgeisydd disglair David Jones-Davies yn 1955 ac i Elystan Morgan yn 1966. (Fodd bynnag, mae gennyf deimlaf ei bod, yn yr etholiad olaf y pleidleisiodd ynddo, wedi bwrw ei phleidlais o blaid Cynog Dafis.) Gan ei bod yn frwd i wneud yn sicr ein bod yn deall y drefn bleidleisio, mynnai ein bod yn mynd i'r ysgol erbyn saith y bore ar ddiwrnod etholiad i weld bod y blwch pleidleisio'n wag, cyn i blismon o Aberaeron ddod i'w selio â gwêr coch.

Hyfrydwch pennaf yr ardal i mi oedd prydferthwch cefn gwlad a chyfoeth ei phlanhigion gwyllt. Roeddwn yn mynd bron bob dydd i Ben-y-gaer, lle roedd golygfa ardderchog o Ddyffryn Aeron, a dysgais ble i chwilio am holl flodau gwyllt yr ardal – clychau glas, blodau'r gwynt, gold y gors, plu'r gweunydd, briallu Mair a thegeiriannau'r gors. Tyfai castanwydden ger Cwmeiarth, pinwydden Chile yn Frongoch a chyfoeth o lus duon bach ar ochr banciau Pen Llethr Hir. Gwyddwn ble roedd modd gweld gwiwerod coch a ble i glywed y chwibanogl a'r gwcw – adar na chanant yn yr ardal erbyn hyn. Crisialir bron y cwbl o'r hyn a gofiaf am Fwlchllan yn y gerdd 'Fern Hill'. Fel Dylan Thomas, roeddwn i hefyd wedi gweld 'The night above the dingle starry' ac wedi 'lordly had the trees and leaves / Trail with daisies and barley / Down the rivers of the windfall light'.

Breuddwydiwn weithiau fy mod yn byw y tu mewn i gloriau un o gyfrolau Arthur Ransome; fy nghartref oedd Swallowdale – glyn rhwng Tŷ'ncelyn a Phont-gou – ac yno dysgais fy ngholomennod i gario negeseuon, fel y cymeriadau yn *Pigeon Post*. Edmygais Dick yn *Winter Holiday* a achubodd ddafad o glogwyn ond deuthum i sylweddoli mai aralleiriad o'r gerdd 'Pwllderi' oedd y stori. Sbardun yr achub i Dewi Emrys oedd 'Nid gwerth yr ŵen ar ben y farced / Ond 'i glywed e'n llefen am gal 'i arbed' – a medrwn ddweud yr un peth am lu o fugeiliaid ar lechweddau creigiog Mynydd Bach.

Mi ddes i ymserchu'n fawr mewn gerddi, yn enwedig yr un hyfryd a oedd gan Miss Herbert yn Arfryn. Roeddwn wedi arbrofi gyda hadau letus yn Nhreorci ond roedd digon o dir yn Ael-y-bryn i fod yn fwy arloesol. Datblygais ardd rug, gardd gerrig a borderi llwyni a blodau, ac fe'm hysbrydolwyd yn fawr gan gyfarwyddiadau Enid Blyton ar blannu hadau blodau blynyddol ym mis Ebrill a bylbiau ym mis Medi. Cefais afael ar gatalogau cynhwysfawr cwmni Hillier a breuddwydiais y byddwn yn bensaer tirlun pan fyddwn yn oedolyn.

A Mam yn gwybod fawr ddim am amaethyddiaeth, daeth i'r casgliad fod modd dysgu rhywbeth trwy wrando ar yr *Archers*, rhaglen y buom yn ffyddlon iddi (heblaw am yr adeg y bu'n gwrthdaro â *Theulu Tŷ Coch*) o'i dechrau hyd heddiw. Daeth y radio'n hynod bwysig i ni. Mewn cartref di-drydan roedd angen batri sych a batri gwlyb. Roedd y cyntaf yn para hyd at dri mis, ond yn ei wythnosau olaf fe'i rhoddid yn y ffwrn er mwyn gwasgu ychydig funudau ychwanegol allan ohono; roedd angen adlwytho'r ail tua phob deg diwrnod, tasg a oedd yn golygu ei gludo i Felin-fach, lle roedd eisoes gyflenwad trydan. Pan ddiflannodd darlledu radio wedi marwolaeth George VI, unig sylw Mam oedd: 'Mae'r batri gwlyb wedi rhoi fyny'. Trigem ar y ffin rhwng tiriogaethau SWEB a MANWEB a doedd gan y naill gwmni na'r llall unrhyw ddiddordeb ynom.

Nid trydan oedd yr unig beth na feddem. Yn 1945, dim ond dau deulu yn yr ardal oedd â char, a swyddfa'r post oedd yr unig fan lle roedd teleffon – nid mewn ciosg, ond yn y swyddfa. Profodd ein cymdogion yn ddyfeisgar wrth gysylltu â'i gilydd. Cludai'r trên gywion diwrnod oed i'r orsaf yn Nhregaron; fe'i casglwyd gan yrrwr bws yr ysgol a chludwyd hwy atom ni. Byddai Mam yn rhoi shiten goch mewn man lle roedd modd i brynwr y cywion ei weld, a byddai hwnnw'n dod yn ei gert a'i geffylau i'w casglu. Mi ddes i wirioni ar natur y gymdeithas uwchlaw Dyffryn Aeron. Roedd pobl yr ardal yn dal i arfer enwau caeau – ffynhonnell hanesyddol o bwys, fel yr oedd enwau darnau o'r heolydd: Pen Llethr Hir, er enghraifft, a Phen-lôn-speit a Ffynnon Caradog a Phen-lôn Penherber; credaf eu bod i gyd yn angof erbyn hyn. Cefais flas ar ddarllen llyfr David Jenkins ar gymdeithas deheudir Ceredigion ddechrau'r ugeinfed ganrif. Yr oeddwn yn gyfarwydd â bron y cwbl roedd ganddo i'w ddweud, er enghraifft, y duedd i berchennog tarw'r ardal fod yn ben blaenor; parodrwydd perchnogion caeau i roi tatw had a dom da am ddim i drigolion y tai bach ar yr amod eu bod yn helpu gyda'r cynhaeaf tatw; a thuedd plant i ffermwyr rhydd-ddaliadol i beidio â phriodi – yr allwedd, efallai, i'r lleihad yn nifer y plant yn yr ardal. Roedd dros gant o blant yn ysgol Bwlch-llan yn 1900, pan oedd trwch y trigolion yn denantiaid, a phymtheg yn 1965 pan oedd eu trwch yn rhydd-ddeiliaid.

Y fendith fwyaf a gefais ym Mwlch-llan oedd cael fy nhrochi yn y Gymraeg. Plant y pentref a sicrhaodd fy mod yn gwbl rugl yn yr iaith – profiad nid annhebyg i'r hyn a gafodd Waldo Williams ym Mynachlog-ddu. Bûm hefyd yn siarad yn helaeth â hen wragedd yr ardal, yn arbennig â Letitia Lodwick. Byddai hi'n dweud pethau fel 'Paid â 'mél â'r ridins 'na', ac fe'i gogleisid hi'n arw gan fy nefnydd o eiriau fel neisied, gair y Rhondda am facyn. Mewn arwerthiannau, clywem enwau fel sopyn, helem a moelwr ac, o'u cymharu ag enwau diflas ffermydd Ambridge, roedd enwau ffermydd Bwlch-llan yn gyforiog o ddychymyg. Doedd eu trigolion ddim yn mynnu rhoi'r gair 'Farm' wrth gynffon yr enw gwreiddiol, arfer sydd wedi dod yn fwyfwy poblogaidd erbyn hyn.

Dryswch i mi oedd agwedd ein cymdogion at y Gymraeg. Hi oedd iaith arglwyddiaethol y lle ac roedd yr efaciwîs a oedd wedi aros yn y pentref ar ôl y rhyfel yn gwbl rugl yn yr iaith. Ddiwedd y pedwardegau, dim ond dau deulu o Loegr a drigai yn yr ardal, a byrhoedlog fu eu harhosiad. Pan fyddai teulu di-Gymraeg yn symud i Fwlch-llan, tuedd hynafgwyr y pentref oedd dweud: 'Welwn ni ddim o gerrig beddau'r rhain.' Ond doedd neb yn gweld bod dim byd yn od yn y ffaith fod y cyfarwyddiadau Saesneg ar y teleffon yn dweud wrth y defnyddiwr: 'Dial the number you want', a'r cyfarwyddiadau Cymraeg yn sôn am ba dwll y dylid rhoi eich bys ynddo ac i ba gyfeiriad y dylid troi'r deial. Yn wir, roedd rhai'n credu nad oedd modd i linellau'r ffôn gario'r Gymraeg o gwbl.

Dychwelodd brodor o'r ardal a fu'n athro yng Nghaerdydd i'r pentref; ar ôl peintio llidiart, rhoddodd nodyn arno'n dweud 'paent gwlyb'– mater o ddirmyg i'w gymdogion nad oedd erioed o'r blaen wedi gweld unrhyw arwydd o'r fath heblaw 'wet paint'. I'n cymdogion, rhywbeth i'w gwisgo pan oedd angen bod yn drwsiadus oedd *shoes* a rhywbeth i'w gwisgo pan oeddech yn gweithio oedd esgidiau; cacen oedd y deisen a wnaed gartref ond *cakes* oedd yr hyn a brynid mewn siop grand – enghreifftiau ddiddorol o'r cysylltiad rhwng ethnigrwydd a dosbarth. Dyma ffenomen y sylwais arno hefyd yn Llydaw; yno, yr unig hysbyseb Llydaweg a welais erioed oedd un yn nodi rhinweddau dillad gwaith.

Ond, os mai amwys oedd agwedd trigolion Bwlch-llan at yr iaith Gymraeg, roeddynt yn sicr yn ei hanwesu. Hyfrydwch pur oedd clywed storïau'r pentrefwyr am Fwci Bwlch, y Ladi Wen a'r gannwyll gorff. Roedd teyrngarwch aelodau Clwb Ffermwyr Ifainc y pentref i'r Gymraeg yn amlwg, ac roedd aelodau niferus yn y dosbarthiadau nos a drefnid gan yr Adran Allanol yn Aberystwyth. Cynhaliwyd aml i gwrdd cystadleuol a'r ffordd orau o ddysgu cerddi oedd eistedd am oriau mewn cystadlaethau nad oedd rhagbrofion iddynt a chlywed degau o gystadleuwyr yn adrodd (neu, erbyn hyn, yn llefaru) 'Cloch y Llan', neu 'Gwelais ei fen liw dydd' neu 'Dwy gwningen fechan'. Yr oedd cerddi mwy sylweddol hefyd i'w clywed ac roedd bod yn bresennol pan fyddai niferoedd yn cystadlu ar gystadleuaeth yr emyn i'r rhai dros hanner cant yn ffordd o ddysgu cyfran helaeth o bethau gorau William Williams ac Ann Griffiths.

Roedd y capel yn ganolbwynt Cymreictod. Ofnai'r capelwyr unrhyw beth ac iddo sawr o ddefod, ac felly yn y festri y cynhelid bedyddiadau er, yn ddiddorol iawn, y byddai priodasau ac angladdau'n cael eu cynnal yn y capel. Yn y capel, eisteddai'r mynychwyr yn eu corau teuluol, ond yn y festri eisteddai'r dynion ar y dde a'r menywod ar y chwith. Roedd plant yn eistedd gyda'u mamau, a fersiwn Bwlch-llan o'r *bar mitzvah* oedd bachgen yn symud o ochr chwith y festri i'r ochr dde. Arwydd o'r amheuaeth o ddefodau oedd absenoldeb unrhyw wasanaeth yn y capel ar ddydd Nadolig a dydd Gwener y Groglith. (Ni châi plant y pentref odid ddim yn anrhegion Nadolig ond medrent ymgyfoethogi'n sylweddol o arian calennig.) Roedd Eglwyswyr yn amheus o duedd pentrefi Ceredigion i gynnal eisteddfodau ar ddydd Gwener y Groglith. Fodd bynnag, erbyn hyn mae pob anghydfod enwadol wedi diflannu, nid oherwydd twf goddefgarwch ond oherwydd bod y cynnydd yn nifer y mewnfudwyr yn golygu bod trwch trigolion pentrefi'r sir yn credu nad oes gan y fath ymraniad unrhyw berthnasedd iddynt hwy.

Gan fod cyn lleied o gyfenwau yn yr ardal – Jones, Davies, Evans neu Morgan oedd pawb, bron – yr arfer oedd ychwanegu enw'r tŷ at yr enw bedydd: Jac Fron-goch, Anne

Bwlch, Mari Ardwyn ac yn y blaen. O fod y tu allan i'r pentref roedd angen handlen arall. Gan nad oeddwn yn awyddus i ddiystyru canolfannau bychain, mynnais fy mod yn byw ym Mwlch-llan. O ganlyniad, cefais y label John Bwlch-llan, label nad wyf yn ei hoffi, yn bennaf oherwydd bod gan aml i John fwy o wreiddiau yn y pentref nag sydd gen i ac felly mwy o hawl i'r enw.

Anaml y byddem yn gadael y pentref, yn bennaf oherwydd erbyn diwedd y 1940au ni fedrai 'nhad ddringo'r rhiw serth i'r pentref. Ond fe fyddem yn mynd weithiau, a chofiaf ein gwibdaith i Lyn Eiddwen gyda phleser arbennig. Buom yn ymweld â pherthnasau fy nhad, gan gynnwys Dic ym Mhontrhydfendigaid, mab i chwaer y William Davies a laddwyd yn 1885; cwrddais â chwaer William, dynes nad oedd wedi cael unrhyw gysylltiad â theulu'i brawd am drigain mlynedd a mwy. Adeg yr ymweliad hwnnw aethom i Ystrad-fflur, profiad a oedd yn wirioneddol wefreiddiol.

O bryd i'w gilydd, byddem yn llogi car i ymweld â chyfnither fy nhad, Modryb Martha yn Llan-non – hen fam-gu Huw Lewis a fu'n gadeirydd Cymdeithas yr Iaith Gymraeg. Dysgais gan ei merch Jennie sut oedd casglu gwichiaid y gwymon, cregyn a oedd yn fwyd yng Nghymru, ac adeg y newyn yn Iwerddon. Rwy'n hoff o'r stori am Máirín de Valera, ysgolhaig ac arbenigwraig ar greaduriaid a phlanhigion y môr a dreuliai lawer o'i hamser yn eu casglu ar arfordir Clare a Galway. I'r trigolion, roedd hynny'n brawf fod ei thad, Éamon de Valera, prif weinidog Iwerddon, yn rhy fên i fwydo'i ferch ac o'r herwydd collodd lawer o'i gefnogaeth etholiadol. Elsie, chwaer Jennie, a'm cyflwynodd i adar y môr. Cofiaf iddi ddangos imi wennol y môr wrthi'n ofalus yn bwydo'i chyw. 'Fel hynny y dylai pethau fod,' meddai. 'Every good tern deserves a mother.'

Ceisiai fy nhad wneud yr hyn allai; plannai lysiau yn yr

ardd a byddai'n mynd â mi i Allt-y-gaer i dorri coed cyll i gynnal ein planhigion pys. Ymfalchïai'n fawr yn fy rhuglder cynyddol yn y Gymraeg a'm llwyddiant yn arholiad yr 11+. Glynodd at ei ddiddordeb mewn materion cyhoeddus, ac ofnai'r gorgysylltiad â'r Unol Daleithiau a ddeilliodd o sefydlu NATO. Ymhyfrydodd yn fawr ym mharodrwydd capeli'r ardal i gynnal cyfarfodydd coffa i Gandhi. Ac yntau wedi bod yn Jerwsalem, ystyrid ef yn arbenigwr ar y datblygiadau ym Mhalesteina. Âi 'nhad i'r capel weithiau, ond diflastod iddo oedd ymweliadau'r rheini a ddeuai i'r tŷ ar y Suliau i weld pwy oedd yn dost, gan nad oedd neb o'r teulu wedi bod yn yr oedfa. Ond, ymhlith trwch ein cymdogion, roedd ffydd yng ngallu'r Brenin Mawr yn ddiysgog. Cofiaf i'r pen blaenor ar adeg sych iawn ganol y pedwardegau weddïo am law. Cyn y Sul nesaf bu stormydd o law trwm iawn; ymateb y pen blaenor oedd: 'Diolch i ti am y glaw; rwy'n gwybod fy mod wedi gofyn amdano fe, ond roeddwn yn meddwl y byddet ti'n dangos rhywfaint o gomon sens.'

Câi Mam foddhad mewn ambell seiat, yn enwedig y rheini a anerchid gan Mrs Jones, Bwlch-graig, dynes a oedd yn drwm o dan ddylanwad profiadau ysbrydol Diwygiad 1904/05. Ni chafodd fawr o fudd o'r ysgol Sul a oedd, yn ei barn hi, yn gyfle i hen bobl ddwrdio pawb am gefnu ar drefn yr oes o'r blaen. Ein tuedd oedd mynd am dro ar brynhawn Sul ac, o gwrdd â'r rheini a oedd yn dychwelyd o'r capel, clywem yn gyson y sylw: 'Dy'ch chi ddim yn sylweddoli pa ddiwrnod yw hi.' Mynnai Mam ein bod yn cuddio y tu ôl i glawdd neu fur pan oedd pobl o'r capel yn closio atom, gweithred anurddasol a achosodd i mi gasáu'r Suliau a chefnu ar bob ffurf ar Gristnogaeth gyfundrefnol. Syndod i gymdoges oedd clywed fy mod yn anffyddiwr. 'Sut yn y byd,' gofynnodd, 'y medrwch chi fwyta cig os nad ydych yn addoli

Duw?' – sylw yr wyf wedi pendroni drosto ers i mi ei glywed.

Credaf fwyfwy mai crefydd yw prif felltith y byd sydd ohoni; diau mai gallu Ewrop i seciwlareiddio pobl fydd yr allwedd i oroesiad trigolion y ddaear hon – a derbyn y byddant yn goroesi.

Anodd erbyn hyn yw coelio pa mor arglwyddiaethol yr oedd Methodistiaeth Galfinaidd mewn rhannau o Geredigion yn y pedwardegau. Cofiaf glywed dau ffermwr ar y bỳs i Lambed yn trafod yn wybodus Athrawiaeth yr Iawn ac roedd rhai o drigolion y pentref yn berchen ar y cwbl o weithiau Calvin. Cymerid yn ganiataol y byddai pennaeth ysgol y pentref hefyd yn cynnal dosbarth ysgol Sul, a byddai Cynghorwyr Sir yn dweud wrth ymgeiswyr am swyddi mewn ysgolion uwchradd: 'Rwy'n siŵr eich bod yn gyflawn aelod.' Caeid ysgolion y sir ar ddiwrnod y Pwnc; pan gynhaliwyd y Pwnc yn Llangeitho, mi es i gryn helbul wrth arwain plant ysgol Sul Bwlch-llan i fracso yn afon Aeron yn eu dillad gorau. Uchafbwynt y flwyddyn oedd y trip ysgol Sul ac mae'r llun o aelodau capel Bwlch-llan yn eistedd ar draeth y Bermo ym Mehefin 1947 wedi ymddangos ym mron pob papur bro yng Ngheredigion. Rwy'n hoff o'r stori am drip un o gapeli Ceredigion. Y bwriad oedd mynd i'r Mwmbwls ond camglywodd y gyrrwr, ac aeth â llond bỳs o bobl i'r Tymbl. Cafodd y teithwyr ddiwrnod ardderchog – cymaint balchder trigolion Tymbl fod cynifer o bobl wedi dod i'w gweld fel eu bod wedi mynd allan o'u ffordd i'w croesawu. Bu'r wibdaith yn llwyddiant arbennig a deallaf fod y capel wedi trefnu ymweliad â'r Tymbl bob blwyddyn am ddegawd a mwy wedi hynny.

Ystyriodd Mam wneud cais am swydd yng ngwaelodion y sir; roedd y trigolion yn Undodiaid a rhedai bỳs trwy'r pentref.

'Fedrwch ddim byw yno,' dywedwyd wrthi. 'Dyw'r

trigolion yno ddim yn credu yn y Drindod ac maen nhw'n prynu papurau dydd Sul.'

'Rwyf fi'n hoffi'r *Observer*,' meddai Mam.

'Nid am yr *Observer* rwy'n meddwl,' oedd yr ateb. 'Meddyliwch am honno sy'n aros yn y gwely drwy gydol dydd Sul er mwyn darllen y *News of the World* – ond, dyna ni, Eglwyswraig yw hi.'

Roedd Mam yn twymo at yr Eglwys, efallai oherwydd ei bod hi, fel Cynog Dafis, am ddianc rhag gormes y bregeth. Bob bore Sul clywem feibion Pen-gaer yn canu clychau eglwys hyfryd Sant Gwynlle. Mae'r eglwys ar gau erbyn hyn ac wedi'i throi'n dŷ â'r enw Dunroamin. Y tu ôl i'r tŷ gellir gweld beddau hynafiaid Hywel Teifi a Huw Edwards.

Un o rinweddau Bwlch-llan oedd yr anallu i brynu papurau Llundain yno. Roeddwn yn eu gweld wrth fynd i Lambed, a rhyfeddod i mi oedd darllen yr ymosodiadau atgas gan bapurau'r asgell dde ar lywodraeth Attlee. Roedd fy nhad yn hoff o rigwm a welodd yn un o bapurau'r chwith:

> If you want the river of truth to run both bright and clear,
> You'll have to dam the Beaverbrook and drain the Rothermere.

Yn 1949, cychwynnais ar chwe blynedd yn Ysgol Sir Tregaron. Arweiniwyd ni, ddisgyblion yr ysgol yn flynyddol o gwmpas cofgolofn Henry Richard yng nghanol y dref. Bryd hynny, byddai hen ŵr yn eistedd o flaen y Neuadd Goffa ac yn gwgu arnom. 'Dyw hi ddim yn twymo at yr heddychiaeth 'ma,' meddai. 'Yr oeddwn wrth fy modd yn y Rhyfel Byd Cyntaf; dyma'r unig dro y cefais gyfle i fod i ffwrdd oddi wrth y wraig.'

O'u cymharu â phleserau addysg gynradd, ni chefais yr un blas ar fod mewn ysgol uwchradd. Roedd hynny'n rhannol yn ganlyniad y daith awr yn y bỳs ysgol yn y bore a'r daith awr eto yn y prynhawn. Âi'r bỳs drwy fro hudolus ond aeth o leiaf flwyddyn heibio cyn i mi roi'r gorau i chwydu ar y teithiau.

Ond y poendod mwyaf oedd pwyslais yr ysgol ar chwaraeon tîm. Roedd disgyblion o ysgolion cynradd sylweddol – Tregaron a Phontrhydfendigaid, er enghraifft – yn gyfarwydd â'r math yma o weithgaredd, ond roeddynt yn gwbl ddieithr i mi, a theimlais i erioed unrhyw awydd i ymwneud â nhw. Darganfyddais fod modd gadael yr ysgol ddiwedd bore dydd Mercher ac y medrwn felly lwyr osgoi gweithgarwch y prynhawn. Treuliwn yr amser yn cerdded i Riw Dywyll yng Nghwm Berwyn neu i rostir Blaencaron – profiadau hyfryd a'm rhyddhaodd yn llwyr o chwarae rygbi neu bêl-droed neu griced. Mae'r rheini ohonom sydd ddim yn deall rheolau gêmau pêl, ac sydd ddim am wylio gêmau tîm, wedi'u hamddifadu, yn y Gymru bresennol, o bron unrhyw gyfathrach â llu o'u cyfoedion. Mae peidio â gwylio rygbi a phêl-droed ar deledu neu, yn wir, osgoi gwylio unrhyw beth ar deledu, yn rhyddhau oriau lawer i wneud pethau mwy diddorol o'r hanner.

Meddyliaf yn ddwys am le addysg yn ein bywydau wedi i hanner canrif a mwy fynd heibio. A ninnau'n wrandawyr selog ar Wasanaeth Cartref y radio gartref, clywem yn fynych sylwadau aelodau o'r dosbarth gweithiol yn Lloegr nad oedd addysg uwch yn rhywbeth y gallent hwy feddwl am anelu ato; ceir yr un sylwadau hyd heddiw. Dyma sylwadau a oedd, ac sydd, yn gwbl estron i mi. Ym Mwlch-llan (a mwy byth yn y Rhondda), roedd pawb yn cymryd yn ganiataol fod y rheini a oedd yn gwneud yn dda yn yr ysgol yn debyg o fynd ymlaen at ryw lun ar addysg uwch. Un o ddeuluoedd tlotaf yr ardal oedd teulu Pen-gaer ond doedd neb yn synnu bod mab i'r teulu, George Noakes, wedi dod yn Archesgob Cymru. Un cae ac un fuwch oedd gan Mrs Thomas, Lôn, ond roedd llwyddiant ei mab fel meddyg yn taro pawb fel rhywbeth cwbl naturiol. Mi ddes i'r casgliad fod ein dyheadau addysgiadol ni yng Nghymru yn uwch nag yr oeddynt yn Lloegr – er bod pob dyrchafiad a ddeilliai o addysg yn golygu amddifadu'r ardal o berson talentog.

Gwelwyd yr ysfa am addysg hefyd yn y pwyslais ar ddysgu chwarae'r piano. Roedd dynes yn y pentref a enillai ei hincwm wrth ddysgu'r piano a bu'n rhaid i mi fynd i'w gwersi yn festri'r capel. Er nad oedd gan Mam unrhyw ddiddordeb mewn cerddoriaeth, credai fod ei hanallu i chwarae'r piano wedi rhwystro'i gyrfa yng Nghwm-parc. Diflastod mwyaf fy mhlentyndod oedd yr hanner awr yr oedd hi'n mynnu fy mod yn ei dreulio'n ddyddiol wrth y piano er mwyn medru cyfeilio i gantorion. O ganlyniad, datblygais gasineb at ganeuon, teimlad sydd wedi bod gennyf ers degawdau. Felly, heblaw am ambell raglen drafod (ar nos Sul yn bennaf), mae'r flaenoriaeth a roddir gan Radio Cymru i ddarlledu caneuon ysgafn yn fwrn arnaf. Ymddengys mai ymgais at ddenu cynulleidfa o bobl ifainc sydd wrth wraidd y pwyslais ar ganeuon ysgafn – er fy mod yn adnabod pobl ifainc â diddordebau mwy sylweddol. Ni ddeallaf y sylw y teimlir y dylid ei roi i bobl ifainc ar y radio. Mae'r rhan fwyaf ohonynt hwy wedi'u trwytho cymaint mewn delweddau gweladwy fel na fedrant werthfawrogi apêl cyfrwng mor gynnil â radio. Tynnu ymlaen y mae trwch y gwrandawyr ar raglenni radio o sylwedd, a phobl sy'n tynnu ymlaen yw'r dosbarth o gymdeithas sy'n tyfu gyflymaf. Dichon fod pryder mai dyma'r union bobl sy'n closio at angau. Fodd bynnag, cofiaf ddarllen bod Beatrice Webb wedi ysgrifennu yn 1920 mai'r unig bobl yn Rwsia a âi i'r eglwys oedd hen wragedd mewn du. Dywedwyd yr un peth gan Laurens van der Post yn 1954, a chan *Newsweek* yn 1985. Dichon fod y sylwadau i gyd yn gywir ond mae'n annhebygol iawn mai'r un hen wragedd yn union oeddynt i gyd. Felly, os gall eglwysi Rwsia recriwtio cenhedlaeth ar ôl cenhedlaeth, diau y gall rhaglenni radio o safon wneud yr un peth. Diddorol oedd gweld yn y cylchgrawn *Golwg* y ddadl o blaid Radio Un Cymraeg wedi ei gyllido'n fasnachol. Byddai hynny'n rhyddhau adnoddau'r BBC i gynnal gwasanaeth Cymraeg a chanddo gynnwys tebyg i'r hyn a geir yn Saesneg ar Radio Pedwar – er mai gwanychu y mae'r gwasanaeth hwnnw hefyd.

Yr oeddwn wedi mynychu Ysgol Tregaron ers chwe mis pan fu farw 'nhad ar 9 Mawrth 1950. Cofiaf bob munud o'r noson honno – Mam yn ein dihuno cyn mynd i ffonio'r doctor. I wneud hynny, roedd yn rhaid dihuno Mair Post (Mair Lloyd Davies, yr eisteddfodwraig amlwg, yn ddiweddarach) er mwyn cyrchu at y teleffon. Dychwelodd Mair gyda hi i'r tŷ a dangosodd ddiddordeb mawr yn nhymheredd y corff. Am dridiau, daeth pob un o'n cymdogion i'n gweld a bu'n rhaid i Mam ddisgrifio holl amgylchiadau'r farwolaeth iddynt i gyd. Dichon fod hyn yn deillio o gydlyniad y gymdogaeth ond diau fod ei erydiad wedi bod yn rhyddhad i lawer. Claddwyd fy nhad gyda'i fam a'i frawd yn y bedd teuluol yn Llangeitho a bu'n rhaid i mi, fel yr unig fab, daflu'r llond rhaw cyntaf o bridd ar yr arch. Daeth Modryb Nellie a Modryb Ruby i aros gyda ni a nododd Ruby nad oedd fy nhad, a fu farw fawr mwy na phedwar mis ar ôl cyrraedd pump a thrigain oed, wedi derbyn fawr ddim o bensiwn y wladwriaeth. (Gwnaeth Mam yn well, a derbyn pensiwn o'r fath am dros ddeng mlynedd ar hugain.) Yr oedd Ruby gweddw John, a chwaer yng nghyfraith fy nhad, o'r farn y dylai fabwysiadu Anne, fy chwaer – arfer lled gyffredinol ymhlith gwragedd ddi-blant ar y pryd; gwrthod yn swta a wnaeth Mam – dechrau rhwyg a drodd yn doriad llwyr yn y pen draw.

Er i ni i gyd hiraethu amdano, ni theimlais fod marwolaeth fy nhad wedi golygu newid sylfaenol yn ein hamgylchiadau. Deuthum i adnabod rhywun y bu i farwolaeth rhiant beri amddifadedd enbyd iddo ond nid felly y bu i ni. Roedd fy chwaer a minnau'n gwbl ffyddiog y byddai Mam yn dal i'n cynnal yn gwbl gysurus, ac fe wnaeth. Pan drefnodd yr ysgol uwchradd wibdaith i Baris yn 1952 medrem ni'n dau fod yn gwbl sicr y byddai hi'n talu i ni gael mynd. Cofiaf bob manylyn o'm hymweliad cyntaf â thir mawr Ewrop – hyd yn oed enw'r llong a'n cludodd ar draws y Sianel. Ar ôl gweld Versailles, Tŵr Eiffel a'r Louvre, ymdynghedais y byddwn yn treulio rhan o bob blwyddyn yn teithio ar dir mawr Ewrop – penderfyniad yr wyf wedi glynu ato am drigain mlynedd a mwy.

Ond teimlais fwyfwy mai Cymru y dylwn ei weld yn bennaf. Erbyn fy mod yn bedair ar ddeg, roedd yr athrawes ardderchog Mari Boden wedi fy ysbrydoli wrth ddehongli cynnwys *Y Flodeugerdd Gymraeg* a *Beirdd Ein Canrif*. Yr wyf yn dal i gofio'i dadansoddiad o gerdd Williams Parry, 'Y Gylfinir' – neu'r chwibanogl fel yr oeddem ni'n galw'r aderyn. Gan fy mod yn chwydu wrth ddarllen ar y bỳs ysgol, darganfyddais mai haws oedd treulio'r amser yn dysgu cerddi ar fy nghof, a buan yr oeddwn yn cofio cyfran helaeth o gynnwys y naill gyfrol a'r llall. Fe'm siomwyd gan agwedd sarhaus nifer o athrawon Tregaron – Cymry Cymraeg yn eu plith – at lenyddiaeth Gymraeg ac mi ddechreuais ddarllen cyfrolau awduron fel Thomas Parry. Diddorol oedd defnydd yr ysgol o'r Gymraeg, a chefais sawl profiad o'r ystrydeb honno – byw mewn ardal Gymraeg ond dod yn oedolyn cyn sylweddoli bod nifer o'ch athrawon ysgol uwchradd yn rhugl yn yr iaith. Dichon na fyddwn wedi croesawu mwy o bwyslais ar y defnydd o'r Gymraeg yn fy arddegau cynnar oherwydd cyfyngedig o hyd oedd fy ngallu yn yr iaith. Enillais y gadair yn eisteddfod yr ysgol – y cyntaf, mi gredaf, i wneud hynny gyda cherdd Saesneg. Yr oedd cysgod y Saesneg yn dal drosof, ac ar ôl ymweld â Malaysia, Twrci, India a'r Almaen, sylweddolais fy mod yn rhannu'r cyflwr hwnnw gyda lliaws o bobl y byd. Mi gofiaf glywed tywyswr yn didoli twristiaid o flaen palas yn Istanbul. 'Turkish here; English there,' meddai. 'But we are Shermans,' gwaeddodd arweinydd tyrfa sylweddol. 'Shermans,' meddai'r tywysydd, 'is English.' Bûm yn siarad â'r twristiaid Almaenig ac ni chafodd yr un ohonynt drafferth wrth ddilyn y sylwebaeth Saesneg.

Neges wlatgar oedd yn fy ngherdd arobryn a daeth adnabod Cymru yn obsesiwn braidd. Byddai Mam yn mynd â ni bob blwyddyn i aros yn Aberystwyth a threfnodd ein bod yn mynd am wibdeithiau i fannau fel Tyddewi a chopa'r Wyddfa. Yn ôl y sôn, sicrhawyd bod gan y Borth, ger Aberystwyth, ddarn o borfa lle gellid bolaheulo'n noeth. Nid aeth â ni i'r fan honno. Mae'n debyg fod myfyriwr o Sbaen wedi cael gwahoddiad i ymweld â'r lle. Wrth adael, dim ond un gair a ddywedodd, sef y gair Sbaeneg am 'diolch': *gracias*.

Awn sawl gwaith y flwyddyn i dderbyn lletygarwch caredig Modryb Nellie yn Rhydfelen a Modryb Ruby yn Rhiwbeina, a chael y cyfle i gyfarwyddo â'r ardal yr ystyriwn fel fy mro fy hun, sef y de-ddwyrain. Ymwelais â Chastell Coch, Caerffili, Caerllion, Caer-went, Casnewydd (y Bont Lwyfan yn arbennig), Merthyr a Chaerdydd. Arswyd i'm Modryb Nellie oedd fy adroddiad am fy ymweliad â Heol Bute yng Nghaerdydd. 'Rhaid i hyd yn oed plismyn fynd yno bob yn dri,' meddai.

Teimlais mai buddiol fyddai ehangu fy mro; felly, ymaelodais â Chymdeithas yr Hosteli Ieuenctid a chredaf i mi aros ym mhob hostel yng Nghymru. Ffawdheglu a wnawn, a'r hostel gyntaf i mi aros ynddi oedd Kings, ger Dolgellau. Erbyn fy mod yn ddeunaw roeddwn wedi ymweld â bron pob plwyf yng Nghymru – roedd dros fil ohonynt hyd nes y'u diddymwyd yn 1974. Erbyn i mi fynd ati i ysgrifennu cyfrol ar hanes Cymru roeddwn wedi dod i gytuno â sylw J. E. Lloyd mai cymhwyster pennaf hanesydd yw llaid ar ei esgidiau.

Roedd athrawon Ysgol Tregaron yn cynnwys addysgwyr cwbl ddisglair, a meddyliais, fel y gwnaeth Goronwy Rees, tybed pam yr oedd pobl mor alluog yn ymwneud â gwaith mor ddiddiolch. Cofiaf, gyda pharch, ddoniau Coleman Porter, yr athro Cemeg, a'r annwyl Eirlys Watkin Williams, yr athrawes Hanes. Fodd bynnag, cytunaf â Charles Arch fod rhai o athrawon Tregaron yn ddi-ffrwt. Gyda llaw, cyhoeddwyd dwsin o gofiannau gan gyfoedion i mi a drigai yn nwyrain Ceredigion. A ydym ni mor ddiddorol â hynny?

Roedd Dan Jones, brawd Mari James, Llangeitho, hyd yn oed yn fwy talentog fel athro na Mari Boden, ac o dan ei ddylanwad ef mi syrthiais mewn cariad â llenyddiaeth Saesneg. Darllen Wordsworth a'm gwnaeth yn bantheist – awn weithiau i Ben-y-gaer i benlinio ac addoli'r machlud. Yn ddiweddarach, rhyfeddais at ddewis Pwyllgor Addysg Cymru ar gyfer yr arholiadau Saesneg. Astudiem *Badger's Green*, *South with Scott* a *Memories of a Fox-Hunting Man*, ac aeth blynyddoedd heibio cyn i mi sylweddoli bod pobl yng Nghymru wedi ysgrifennu llenyddiaeth Saesneg o bwys. Yr eithriad oedd y cyhoeddusrwydd a roddwyd i farwolaeth Dylan Thomas; mi ddarfu i'r chweched dosbarth yn Nhregaron anfon cyfraniad i gronfa'r *Western Mail* i dalu am ddod â'i gorff yn ôl i Gymru.

Daeth fy nghyfnod yn Ysgol Tregaron i ben, fwy neu lai, ddechrau haf 1955. Nid oeddwn eto wedi derbyn canlyniadau fy arholiadau Lefel A, ond roedd fy athrawon yn ffyddiog y byddwn yn derbyn y cymwysterau i fynd i'r brifysgol. Doeddwn i ddim am wneud unrhyw benderfyniad pan oeddwn yn ddim ond dwy ar bymtheg oed ac felly bûm yn ffawdheglu ar draws Ewrop am chwe wythnos. Dyma ni'n mynd i Blas Abermeurig, lle gwnaeth Rogers Lewis, fel ynad, lofnodi fy nghais am basbort, ac i'r banc i brynu £20 o sieciau teithio a rhai miloedd o ffranciau – yr oedd mil o ffranciau i'r bunt ar y pryd.

Wrth deithio gwelais ryfeddodau yn Bruges. Roedd gyrwyr yng Ngwlad Belg yn hoff o aros mewn bariau ac yno cynigient wydraid o gwrw i mi, ond ni chefais flas ar y ddiod honno bryd hynny. Codais i fynd i'r offeren gynnar yng nghadeirlan Rheims ac roeddwn yn cysgu pan fu'n rhaid i mi adael car y gyrrwr a oedd wedi rhoi lifft i mi. Roedd wedi fy nghludo i ganol cefn gwlad Lorraine. Mi gysgais mewn tŷ gwair a llwyddo i gyrraedd Strasbwrg cyn diwedd y bore. Roedd hi'n amlwg, wrth grwydro'r ddinas hyfryd honno, mai rhyw lun ar Almaeneg a siaradai trwch y boblogaeth ond ym mhobman ceid posteri yn datgan: '*Parlez Français; c'est plus chic.*'

Cerddais ar draws afon Rhein ac wrth deithio i'r Goedwig Ddu lluniais restr o gyfarwyddiadau i ffawdheglwyr. Dyma nhw:

Peidiwch byth â mynd i gysgu.

Peidiwch â cherdded i'r cyfeiriad yr ydych am fynd iddo, oherwydd bob tro yr ydych yn pasio ffawdheglwr arall, rydych yn lleihau eich cyfle o gael lifft.

Dylai merched ifainc gario *hatpin*, yn arbennig yn yr Eidal. (Awgrym fy nghyfnither, Mair Rhydfelen, oedd hwn.)

Dylai crwt ifanc roi'r argraff nad yw'n deall dim, os yw'r sgwrs yn crwydro i gyfeiriadau anghyfarwydd.

Ni ddylid cario cwdyn teithio sy'n rhy fawr.

Peidiwch â smocio wrth ochr yr heol – er, fe fedrwch fod yn ffodus os bydd gyrrwr yn mynd heibio sydd eisiau tanio'i sigarét.

Cyrhaeddais Freiburg a'r hostel a safai mewn llecyn dedwydd yng nghanol y coed. Yno, darganfyddais fod fy sieciau teithio a'm tocyn dychwel ar y llong wedi llithro o 'mhoced yng nghar un o'r bobl a oedd wedi rhoi lifft i mi. (Dychwelodd hwnnw'r sieciau i'r banc yng Ngheredigion.) Fel ym mhob argyfwng, troi at Anne, fy chwaer, a wnes; roedd hi ar ei ffordd i aros gyda'i chyfeilles ohebol yn Ardèche. Bu'n rhaid i mi ffawdheglu am bedwar diwrnod i gyrraedd yno ond mi lwyddais gyda'r ychydig arian oedd gennyf yn weddill. (Cysgais y noson olaf mewn sied ger cadeirlan Vivier a bûm yn byw am ddyddiau ar fwyar.) Siom, o gyrraedd Lablachère, oedd clywed bod Anne wedi cael salwch, a'i bod yn gwella yng nghartref ein Modryb Ruby yn Rhiwbeina.

Bu'r teulu Rouvier yn Lablachère yn hynod garedig wrthyf, ac arhosais gyda nhw am rai dyddiau gan werthfawrogi safon prydau bwyd y Ffrancwyr. Cefais fenthyg ugain mil o ffranciau gan y teulu – swm a dalwyd yn ôl gan Mam. Felly, roedd modd i mi ailgydio yn fy nheithiau – i Nîmes, Marseille, Cassis (lle prynwyd pryd i mi gan ddynes a oedd wedi aros ym Mhenmaen-mawr, er parch i Gladstone) a Monaco. (Roedd yr hostel yn Cap d'Ail yn eiddo i fudiad radicalaidd ac yno anogid y lletywyr i wneud cymaint o sŵn ag y gallent er mwyn torri ar draws heddwch y bobl a drigai yn y tai moethus o'n cwmpas.) O Nice, es drwy'r Alpau, gan ddringo lan i'r hostel yn St Jean; roedd honno ddeunaw can troedfedd uwchlaw lefel y môr. Gan ei bod hi'n dywyll, methais weld yr hostel ac mi gysgais mewn ciosg teleffon – profiad hynod anghysurus. Euthum oddi yno i Chamonix, lle teithiais ar y *téléférique* i'r Mer de Glace wrth droed Mont Blanc – profiad cyffrous. Roedd y ffordd o Chamonix yn mynd heibio rhewlif y Rhôn (man y soniodd Mam lawer amdano) ac euthum oddi yno i Locarno a Como, ac yna ymlaen i Basle, Paris a Calais. Yr oedd Mam wedi anfon fy nghanlyniadau Lefel A i'r hostel ieuenctid yn Calais, a dymunol oedd gweld eu bod yn reit addawol. Bu'n rhaid i'r Conswl Prydeinig yn Calais drefnu i mi gael tocyn llong adre, trefn y deuthum yn gynyddol gyfarwydd â hi.

Y sioc fwyaf wrth deithio ar dir mawr Ewrop oedd darganfod nad oedd odid yr un o'r trigolion yn gwybod bod Cymru'n bodoli. Fe fyddwn yn cael sgyrsiau drwy'r dydd gyda'r bobl a roddai lifft i mi. Gan fod Ffrangeg yn un o'm pynciau Lefel A yr oeddwn, bryd hynny, yn bur rhugl yn yr iaith a chefais ddegau o sgyrsiau a oedd yn mynd rhywbeth fel hyn:

'D'où venez-vous?'
'Du Pays de Galles.'
'Ah, Portugal, de Lisboa?'
'Non, je suis Gallois.'
'Ah, Danois. De Copenhagen?'
'Non, Welsh.'
'Ah, Belge, de Bruxelles?'

Ystyrid bod pob teithiwr o Brydain yn Sais. Yn wir, roedd tuedd i feddwl mai Lloegr oedd cartref pob twrist. Ys dywedodd perchennog *pension* yn Fflorens ddiwedd y bedwaredd ganrif ar bymtheg: 'Mae'r Saeson wedi cyrraedd, ond ni wn eto pa un ai Almaenwyr ynteu Rwsiaid ydyw'r rhai sydd gyda ni.' Mae'n amlwg fod y bobl yr oeddwn yn siarad â hwy yn credu mai'r unig genhedloedd oedd y rheini a oedd hefyd yn wladwriaethau. Eto i gyd, yng Ngwlad Belg ac yn y Swistir sylwais fod iaith hysbysebion Coca Cola yn newid wrth imi deithio o un rhanbarth ieithyddol i un arall. Pan ddychwelais i Gymru penderfynais y byddwn yn ymaelodi ag unrhyw fudiad a ymgyrchai i sicrhau y byddai Cymru'n dod yn wladwriaeth ac y byddai rhanbarthau ieithyddol Cymru yn rhoi'r un gydnabyddiaeth i'r Gymraeg

ag a roddid i ieithoedd gwahanol ranbarthau ieithyddol y
Swistir. Plaid Cymru oedd yr unig blaid a ymddiddorai yn
y fath bynciau, plaid yr wyf wedi bod yn aelod selog ohoni
ers bron i drigain mlynedd, er mawr ddicter a dryswch i
rai o'm perthnasau. Roedd elfen o eironi yn hyn gan nad
oedd y drindod sydd i lawer o bobl yn cynrychioli hanfod
Cymreictod – Cristnogaeth, caneuon a chwaraeon – yn
apelio ataf o gwbl. Ond dichon fod gwlad sy'n cynnwys
Pont Lwyfan Casnewydd yn haeddu teyrngarwch pob un
ohonom.

Y bwriad, ym mis Medi 1955, oedd y byddwn yn
cymhwyso fy hun i sicrhau mynediad i Rydychen i astudio
Llenyddiaeth Saesneg, syniad a gafodd gymeradwyaeth frwd
Dan Jones. Yn ystod y misoedd dilynol darllenais yn eiddgar;
yn wir, ni wn am neb arall sydd wedi darllen holl ddramâu
Shakespeare, y cwbl o'r *Faerie Queen* gan Edmund Spenser,
Paradise Lost Milton, cerdd Byron 'Don Juan', yn ogystal
â nofelau fel *Clarissa* a *Pamela*. Byddai Mam wrth ei bodd
yn cyd-ddarllen â mi, a chafodd flas mawr ar 'Areopagitica'
Milton, a 'The Prisoner of Chillon' Byron. Ym mis Ionawr
1956, es i Goleg Iesu, Rhydychen, i eistedd yr arholiadau
ond ni chefais lwyddiant, yn rhannol, efallai, oherwydd na
fynychais yr arholiad Lladin, iaith yr oedd fy ngwybodaeth
ohoni wedi hen erydu. Wrth edrych yn ôl, credaf mai
ffortunus oedd fy methiant; yn y pumdegau, mynnid bod
darpar fyfyrwyr Rhydychen yn gwneud eu gwasanaeth
milwrol cyn mynd yno, tra bod prifysgolion eraill yn cynnig
gohiriad. Doedd gennyf ddim awydd o gwbl i wneud fy rhan
yn 'achub yr ymerodraeth' a dichon, be bawn wedi mynd i'r
fyddin, y byddai'n rhaid i mi fod wedi cymryd rhan yn yr
ymgyrch wacsaw honno – yr ymosodiad ar Suez. Ymhellach,
cytunaf â sylw Roy Jenkins, a fu am flwyddyn yng Ngholeg
Caerdydd, fod safon y darlithiau a'r gofal am y myfyrwyr yn

rhagorach ym Mhrifysgol Cymru nag yn hen brifysgolion Lloegr.

Cefais fy nerbyn i astudio Saesneg yng Nghaerdydd, canolbwynt bro fy mebyd, ond roedd wyth mis cyn dechrau'r tymor. Felly, es i sgio yn yr Alban ac wedyn seiclo i Lundain. Yno, cefais swydd bum punt yr wythnos yn cludo brethyn o stordy yn Regent Street. Roedd Llundain y pumdegau yn fan hyfryd, heb y rhuthr a'r prisiau afresymol sy'n nodweddu'r lle erbyn hyn. Talwn ddwy gini'r wythnos am wely a brecwast yn Kensington ac odid ddim am fwyd yng Nghlwb y Cymry yn Oxford Circus.

Bûm hefyd ar daith bỳs i weld Runnymede.

'Yma,' meddai'r tywysydd yn Saesneg, 'y seliodd y Brenin John y Siartr Fawr.'

'When was that?' holai Americanwr ar y bỳs.

'Twelve-fifteen,' oedd yr ateb.

'Pity,' meddai'r Americanwr. 'It's twelve-thirty now, so we've just missed it!'

Awn i'r theatr bob nos, a'r gost yn amrywio o ddau swllt i weld *Sailor Beware* i bum swllt i fynd i'r opera yn Covent Garden. Seiclwn bob Sadwrn i Kew Gardens neu Hampton Court a threuliwn fy Suliau yn yr Oriel Genedlaethol neu yn yr Amgueddfa Brydeinig.

Roedd yn fywyd hyfryd a choeth, ond gwahanol oedd fy uchelgais. Dymunwn chwilio am waith yn yr Almaen er mwyn dysgu Almaeneg, yn bennaf oherwydd bod yr Almaenwyr yr oeddwn wedi cwrdd â nhw mewn hosteli ieuenctid y flwyddyn cynt yn fy nharo fel y bobl fwyaf diwylliedig, eangfrydig, rhyng-genedlaethol ac amlieithog yr oeddwn erioed wedi cael y pleser o'u cyfarfod.

Felly, ar ôl bod yn Llundain am ddau fis, seiclais i Dover ac ymlaen i Bruges, Ghent a Brwsel a thrwy fryniau'r Ardennes i Trier. Yno, gwelais am y tro cyntaf enghraifft o

bensaernïaeth faróc, arddull y des i ddotio ati, yn arbennig
yn sgil yr ysbrydoliaeth a gefais o lyfr ardderchog Monk
Gibbon, *Western Germany* – un o'r cyfrolau y cefais afael
arni trwy gyfrwng gwasanaeth ardderchog llyfrgell symudol
Ceredigion. Roedd hi'n bwrw'n aml a phan ddeuai'r glaw
safwn o dan goeden a dysgu cerdd.

Cefais fy swyno'n fawr gan ddyffryn Mosel ac yno, yn
Bernkastel, y blasais win am y tro cyntaf (Bernkastel Doktor
ydoedd, mi gredaf). Honnai warden hostel Bernkastel fod
angen gwydraid o win cyn bod modd gwerthfawrogi'r coeth
a'r hardd, safbwynt yr wyf wedi dod i gytuno fwyfwy ag ef. O
Koblenz roedd y ffordd yn mynd i fyny ceunant afon Rhein
– siwrne hudolus. Oddi yno es i Mainz a Frankfurt, lle roedd
si fod digon o waith i bawb. Ond doedd gennyf mo'r sgiliau
priodol, a syndod i'r trigolion, ar y pryd, oedd dod ar draws
unrhyw berson o Brydain a oedd yn chwilio am waith yn yr
Almaen. Ni chefais unrhyw waith a fyddai'n fy ariannu yn
Frankfurt ac unwaith eto bu'n rhaid i'r Conswl Prydeinig
drefnu fy mod yn cyrraedd adre, gyda Mam yn cytuno i ad-
dalu'r gost. Edrychodd y Conswl yn amheus ar fy mhasbort
ond ar ôl i mi wagio fy mhocedi yn ei swyddfa, clywais ef yn
dweud, ac yntau wedi bod yn fyfyriwr ym Mangor, ac o weld
y llyfryn o gerddi Cymraeg: 'If he can read Welsh, he must
be British.'

O ddychwelyd i Fwlch-llan ganol haf 1956, sylwais fod
y pentref yn newid. Ni chawsom ddŵr yfed o dap tan y
chwedegau, ond cawsom drydan ddiwedd y pumdegau ac
erbyn hynny roedd aml i dŷ wedi cael generadur teuluol.
Un o ganlyniadau hynny oedd dyfodiad y *deep freeze* ac felly
daeth dosrannu cig mân i ben. Ychydig o ddefnydd a wneid
o'r trydan pan gafwyd y cyflenwad cyflawn oherwydd bod
y trigolion yn ofni rhwymo'u hunain i wariant nad oeddynt
yn sicr o'i faintioli. 'Rwy'n hoff o'r lectric yma,' meddai un

cymydog. 'Mae'n handi iawn wrth ddod i mewn o'r godro i gael golau i ddod o hyd i'r matsys i gynnu'r tili.'

Fodd bynnag, fe wnaeth dyfodiad trydan weddnewid ffermio gwartheg gan fod y peiriant godro yn caniatáu delio â buches lawer iawn mwy – yr allwedd i'r ysfa i ehangu ffermydd a welwyd yn y degawdau diweddaraf. Daeth bron pob ffermwr yn werthwr llaeth i'r Bwrdd Marchnata Llaeth a gweddnewidiwyd eu rhagolygon wrth iddynt dderbyn siec fisol am eu cynnyrch. Codwyd stondin caniau llaeth ar ben lôn pob fferm, rhai ohonynt â nodweddion unigryw; yn wreiddiol, fe'u codwyd o goed ac yn aml roedd y pren wedi'i gerfio'n gelfydd. Yn hwyrach, fe'u hadeiladwyd o garreg a dangoswyd dychymyg wrth osod y briciau ynddynt.

Roedd dyfodiad trydan hefyd yn caniatáu i'r trigolion wylio'r teledu, dyfais a ddaeth yn boblogaidd iawn yn gyflym yng nghefn gwlad Ceredigion ddechrau'r chwedegau. Bu'n fodd o ddangos i bobl cymaint mwy o bethau oedd gan aelodau cymdogaethau eraill a'u cymell i gefnu ar adloniannau traddodiadol y pentref. Roedd sgyrsiau darlithwragedd y WI yn frwd dros ddysgu menywod y pentref ynglŷn â phethau fel *colour schemes, matching accessories* a *wall-to-wall carpeting*, a mynnodd un o'n cymdogion aillunio'i pharlwr yn y *contemporary style*. Gwatwarus oedd ei gŵr. 'Dim ond tridiau fyddi di yn yr ystafell,' meddai. Roedd e'n gywir: tridiau y bu hi ynddi, a hynny yn ei harch.

Yr oedd newid hefyd yn dod yn sgil taliadau'r llywodraeth. Honnai Mari James, Llangeitho, fod ffermwyr y pentref yn mynnu priodi yn Saesneg.

'Pam?' gofynnais.

'Achos bo nhw'n moyn clywed y gair *grant* yn ystod y gwasanaeth,' oedd ei hateb.

Yn ogystal, cafodd sefydlu Undeb Amaethwyr Cymru effaith ar y gymdogaeth; diddorol oedd gweld aelodau o'r undeb honno yn tueddu at y Blaid Lafur a nifer yn y pen draw yn closio at Blaid Cymru.

Y newid mwyaf oedd dyfodiad y car, cerbyd a oedd o ddiddordeb mawr i'n cymdogion, a chofiaf drafodaethau ynghylch eiddo pwy oedd unrhyw gar dieithr a yrrid drwy'r pentref. Roedd dau gar ym Mwlch-llan yn 1945 a thua chwech erbyn 1952. Ni fu erioed gan y naill na'r llall o'm rhieni gar, ac felly dim ond ar ôl i'w phlant ddod yn berchnogion ceir y cafodd Mam y cyfle i weld rhywfaint o ganolbarth Cymru. Gan i berchnogaeth eang ar geir gyd-ddigwydd â dyfodiad trydan, roedd yn rhaid i bawb fod â mwy o arian nag erioed o'r blaen. Ddechrau'r pumdegau buasai teuluoedd yn ymhyfrydu mai eu hunig wariant mewn blwyddyn oedd talu treth y cyngor, a deuai llawer ohonynt i ben trwy drwco – dod ag wyau (ac weithiau cwningod) i'r siop i'w cyfnewid am y pethau nad oeddynt yn medru eu cynhyrchu gartref, megis siwgr, halen, te, paraffin a burum – a doedd yr un geiniog yn newid dwylo. Rhyfeddol, wrth edrych yn ôl, yw sylweddoli pa mor hunangynhaliol yr oedd bron crynswth ein cymdogion a hwythau'n twymo eu tai â choed neu fawn.

Yr oeddwn wrth fy modd yn mynd i Frynhyfryd, lle roedd y chwiorydd yn cynnal eu hunain wrth wneud menyn. Mi ddes yn gelfydd gyda'r *separator* a'r corddwr, a hoffwn laeth enwyn yn fawr. Roedd rhai o gyfeillion Mam yn Nhreorci yn credu ei bod yn rhatach o lawer byw yn y wlad nag yn y dref ac roeddynt yn feirniadol ohoni am beidio anfon atynt gyflenwad cyson o fenyn am ddim. Rhyfeddais pa mor rhad oedd menyn ym Mharis a dyna oedd fy anrheg o'r ddinas. Dymunol oedd mynd i Gors Corgam lle byddai Eluned Bwlch-graig yn lladd (nid torri) mawn gyda chyllell arbennig ac yna'n trefnu i'w gludo i'r Tŷ Tywarch ar glos y fferm. Arllwysid te oer ar fawn y tân a gadael i hwnnw fudlosgi tan y bore, pan roddid brigau ynddo i'w ailfywiogi. Honnwyd bod tân Bwlch-graig wedi bod ynghynn ers o leiaf dau gan mlynedd.

Meddyliais am yr hyn a oedd yn digwydd yn fy nghymdogaeth wrth ddarllen gwaith y cymdeithasegwr Dudley Stamp. Honnai ef fod tri math o bobl yn byw yng nghefn gwlad: y bobl gynradd – y rheini a oedd yn ymwneud yn uniongyrchol â'r tir; y bobl eilaidd – athrawon, siopwyr, gweinidogion ac ati a oedd yn darparu gwasanaethau ar gyfer y dosbarth cynradd; a'r trydydd dosbarth – y rheini oedd â rôl economaidd yn rhywle arall ond a oedd yn trigo yng nghefn gwlad oherwydd mai dyna'r math o ardal yr hoffent fyw ynddi (*adventitious rural dwellers* yw ei derm ef). Yr hyn y sylwais arno dros y genhedlaeth ddiweddaraf yw crebachiad dosbarth un, bron llwyr ddiflaniad dosbarth dau a thwf mawr yn nosbarth tri. Dyw Stamp ddim yn sôn am bedwerydd dosbarth – pobl sydd wedi ymsefydlu yng nghefn gwlad heb fawr o fwriad i wneud dim byd yno.

'Sut rai yw'ch cymdogion newydd?' meddwn i wrth rywun yr oedd *hippies* wedi dod i fyw ar ei bwys.

'Hyfryd iawn,' oedd yr ateb. 'Maen nhw 'run peth â chi a fi ond bo nhw ddim yn gweithio na phriodi.'

Rhaid cydnabod bod rhai o'r mewnfudwyr wedi cyflwyno gweithgareddau newydd i'r ardal – er enghraifft merlota, canolfannau garddio, gwersylloedd gwyliau a bwytai moethus – a gellir honni bod cefn gwlad wedi dod yn fwy diddorol wrth iddi Seisnigo, er nad yw honno'n ddadl sy'n apelio ataf.

Yn y Rhondda, deuthum yn gyfarwydd â thraddodiad diwydiannol a oedd fawr mwy na chanrif oed ac yng Ngheredigion fe'm trwythwyd mewn traddodiad gwledig â'i wreiddiau'n ymestyn yn ôl filoedd o flynyddoedd – mantais enfawr i hanesydd. Yr oeddwn wedi rhoi'r gorau i fyw'n barhaol ym Mwlch-llan cyn i mi lwyr werthfawrogi'r holl newidiadau a oedd ar y gorwel ond, o ganlyniad iddynt, mae'r lle erbyn hyn yn wahanol iawn i bopeth a gofiaf i.

3

Bywyd coleg

1956–1963

OS OEDD ARDALOEDD gwledig Ceredigion yn newid, dyna oedd fy hanes innau hefyd. Ganol fy arddegau dechreuais feddwl pam nad oedd gennyf unrhyw ddiddordeb yn yr hyn a oedd yn mynd â bryd trwch fy nghyfoedion gwrywaidd. Darllenais (yn y *Daily Mail* rwy'n credu – papur yr wyf wedi cadw draw oddi wrtho byth ers hynny) y dylid amau rhywioldeb unrhyw fachgen nad oedd â diddordeb dwfn mewn chwaraeon. Cymerid yn ganiataol hefyd fod pob arddegyn normal yn dwlu ar ganu pop; daeth Elvis Presley a'r Beatles yn boblogaidd, ond ni chymerais sylw o'r naill na'r llall. Fodd bynnag, hoffwn ganu Dafydd Iwan, diau oherwydd bod y neges wlatgar yn apelio. Yr oedd y pethau yma wedi bod yn fy nghorddi ers blynyddoedd ac mi ddechreuais feddwl mai fi yn unig a ddioddefai o abnormalrwydd.

Cysur oedd darllen y sylw helaeth a roddwyd yn y wasg ddechrau'r pumdegau i'r Kinsey Report – adroddiad a hawliai fod canran uchel o'r rhai yn eu harddegau yn teimlo'n amwys dros dro ynglŷn â'u rhywioldeb. Roedd yn ddymunol cael gwybod nad fi oedd yr unig un ac y byddwn, cyn hir, yn tyfu mas o'r cwbl.

Argyhoeddais fy hun mai'r peth gorau fyddai ceisio anwybyddu'r holl fater a chanolbwyntio ar yr hyn a oedd o ddiddordeb i mi: garddio, cerdded, darllen, teithio a gwaith academaidd. Mae'n amlwg fod llu o bobl eraill wedi dod i'r un casgliad, a barnu oddi wrth adroddiad yn y *Pink Paper*, cylchgrawn a honnai fod pobl ifainc amwys eu rhywioldeb yn fwy tebygol o lwyddo mewn arholiadau. Deallwn yr awydd i briodi a chael plant ond ni welais unrhyw apêl mewn hel crotesi; gyda llawer o'm cyfoedion yn treulio cryn dipyn o'u hamser ar weithgaredd o'r fath, medrwn gyfeirio fy amser at bethau a oedd o fwy o ddiddordeb i mi. (Os ydyw'n dod yn gwbl dderbyniol i gryts hel cryts, tybed a fydd y sefyllfa a nodir gan *Pink Paper* yn parhau?)

Pan oeddwn yn teithio yn yr Almaen sylwais fod nifer o ddynion yn eu hugeiniau yn dod i'r hosteli ieuenctid i siarad â dynion iau ac yn aml yn eu gwahodd i swper. Cefais dipyn o sylw gan rai ohonynt gan fy mod, ar y pryd, yn grwt pert. ('Eitha pishyn', a dyfynnu sylw un o'm cyfeillesau.) Yr oedd gennyf syniad niwlog o'r hyn a oedd yn mynd ymlaen ond gwrthodais bob gwahoddiad i swper. Yr wyf wedi edifarhau am hynny oherwydd byddai pryd da o fwyd wedi bod yn dra derbyniol i rywun fel fi a oedd yn ceisio teithio ar y nesaf peth i ddim. Gwario chweugain (hanner can ceiniog) y dydd oedd fy nod wrth deithio.

Euthum i Goleg y Brifysgol, Caerdydd, ym mis Hydref 1956. Mi fûm yn gyfeillgar â nifer o ferched yn ystod y tair blynedd yr oeddwn yno ond ni chefais flas ar unrhyw berthynas. Y digwyddiad tristaf a gofiaf yn ystod y blynyddoedd hynny oedd mynd i Hop nos Sadwrn a gweld llu o ferched yn eistedd ar gadeiriau ger y mur yn aros i rywun gymryd sylw ohonynt. Diau mai chwyldro mwyaf bendithiol y blynyddoedd diwethaf hyn yw twf y syniad fod merched yn medru dawnsio ar eu pennau eu hunain.

Yr oedd criw sylweddol o efengylwyr yng Ngholeg Caerdydd, a'r rheini wedi'u trefnu yn CIFCU (Cardiff Interfaculty Christian Union), efelychiad o'r CICU (Cambridge Inter-colegiate Christian Union), ymgais i gystadlu â'r hyn a gredent oedd anuniongrededd a rhyddfrydiaeth yr SCM (Student Christian Movement). Pobl ryfedd oedd aelodau CIFCU. Credent y dylent ddilyn y Beibl ac epilio, ond pan ofynnais faint o'u plant a fyddai'n derbyn Gras Duw gyda'r sicrwydd y byddent yn cael mynediad i'r nefoedd, 'tua eu hanner' oedd yr ateb. Roedd cael plant ar y rhagdybiaeth y byddai hyd at eu hanner yn treulio tragwyddoldeb yn uffern yn fy nharo i fel syniad erchyll – neu efallai fy mod i, fel y mae trwch y boblogaeth, yn ddiwinyddol anllythrennog.

Yr hyn a gofiaf yn bennaf am fy nghyfnod cynnar yng Nghaerdydd oedd araith danbaid Emrys Roberts yng nghymdeithas ddadlau'r myfyrwyr yn condemnio ymosodiad Prydain a Ffrainc ar Suez. Mae'n amlwg fod yr ysfa imperialaidd yr oeddwn wedi'i hen gasáu yn dal yn fyw. Roedd bod yn ŵr deunaw oed yn 1956 yn brofiad arswydus, a'r unig fodelau oedd gennyf oedd Chris Rees ac Emrys Roberts, y ddau wedi gwrthod cael eu conscriptio. Gan fod fy syniadau gwleidyddol wedi dechrau gydag amheuaeth ynghylch polisïau tramor ac amddiffyn y drefn Brydeinig, nid digon oedd anelu at fesur o ymreolaeth. Rhaid cefnu ar y drefn yn gyfan gwbl. Os mai dyna oedd ystyr annibyniaeth, deled cyn gynted â bod modd. Cofiaf i weinidog yn y Swyddfa Dramor ddweud ei fod wrth ei fodd fod Prydain yn 'punching above her weight'. Awgrymais mai ystyr hynny oedd ein bod ni'n cael ein trethu'n drwm er mwyn iddo ef ymddangos yn fwy pwerus ar y llwyfan rhyngwladol nag yr haeddai. Gwenodd yn sur, ond collodd ei sedd yn 1974. Deuthum yn edmygydd mawr o Emrys (a ddaeth, cyn hir, yn brif drefnydd Plaid Cymru) ac o dan ei ddylanwad ef yr oeddwn yn gynyddol frwd i fod yn weithgar yn y mudiad cenedlaethol. Awn yn gyson i gynhadledd ac Ysgol Haf

Plaid Cymru lle cyfarfyddais â llu o gyfeillion diddorol, yn eu plith Meic Stephens, Harri Webb, Meic Tucker, Gareth Miles, Cynog Dafis, Peter Hourahane, John Daniel, Cennard Davies, Harri Pritchard Jones a Hywel Davies. Yn wir, dyma'r tro cyntaf i mi fod ymhlith cyfoedion nad oeddwn am adael eu cwmni. Darganfyddais yn y coleg gyfeillion eraill hefyd, yn arbennig Huw Williams o Lanelli; mae yntau bellach yn byw yn yr Eidal ac edrychaf ymlaen at ei weld yno.

Yr oedd Prifysgol Cymru yn mynnu bod myfyrwyr y flwyddyn gyntaf yn astudio tri phwnc, ac mi ddewisais Saesneg, Hanes ac Archeoleg. Er i mi ddatblygu hoffter o lenyddiaeth Eingl-Sacsoneg ni chefais fawr o flas ar y cyrsiau Saesneg. Ond roedd y cwrs Archeoleg yn gyffrous; ceid cyfoeth yr Amgueddfa Genedlaethol wrth law a bûm yn cloddio yn Ninas Powys, Penydarren ac yng Nghaerllion. Yn ystod haf 1957 euthum gydag aelodau eraill o'r adran i olrhain gweddillion Mur Hadrian.

Y datguddiad mawr oedd cyrsiau'r adran Hanes. Mi ddotiais at ddarlithiau Henry Loyn ar Ewrop yn yr Oesoedd Canol a phenderfynais mai gradd mewn Hanes fyddai fy newis i. Felly y bu, a darganfyddais fod rhagor o ddarlithwyr dengar yn yr adran, yn arbennig Dorothy Marshall a'r annwyl Athro Chrimes. Medrai Chrimes ymddangos weithiau fel rhywun eithaf sarrug (roedd yn ffigwr chwedlonol mewn aml i Adran Hanes ym Mhrydain) ond ei garedigrwydd, ei ddiddordeb yn ei fyfyrwyr a thrylwyredd ei wybodaeth a gofiaf yn bennaf. Twf cyfansoddiadol gwladwriaethau sofran, a Lloegr yn arbennig, oedd hanes iddo fe, a dichon ei fod yn cael ei ystyried yn hen ffasiwn gan haneswyr mwy arloesol.

Pan oeddwn yn fyfyriwr yng Nghaerdydd ceisiwn deithio yn ystod y gwyliau. Bûm yn Iwerddon ac yn Llydaw, y gyntaf o nifer o deithiau yn y gwledydd hynny. Y daith a gofiaf orau yw'r un i arfordir Iwgoslafia. Euthum i Ynys Hvar, ynys lle tyfai lafant ym mhobman; roedd modd ei wynto filltiroedd cyn i'r llong gyrraedd y porthladd. Yn Hvar trigai dynes a fu'n athrawes yn Nhregaron. Yn y tridegau aeth ar un o'r mordeithiau a drefnid gan yr Urdd, ac yn ddiweddarach priododd gapten y llong, gŵr a ddaeth yn harbwrfeistr Hvar. Treuliodd flynyddoedd yr Ail Ryfel Byd yno mewn amddifadedd affwysol, ond roedd pethau wedi gwella erbyn i mi ei gweld yn 1958, yn rhannol oherwydd y parseli a anfonwyd ati o Dregaron. Trefnodd Mam iddi dderbyn pecyn o nodwyddau, pethau na fuasai modd eu cael yn Iwgoslafia.

Roeddwn yn hoff iawn o ddinasoedd Dubrovnik a Split, a chefais flas ar y siwrne trên i Sarajevo, lle roedd dros saith deg minarét Moslemaidd yn 1958. Diddorol oedd sylwi mai prif iaith pob Putnik (swyddfa groeso) oedd Ffrangeg; roedd fel petai pawb wedi darllen Cytundeb Versailles, dogfen sy'n awgrymu mai Ffrangeg yw iaith swyddogol Ewrop. Roedd trwch yr ymwelwyr yn Almaeneg neu'n Eidaleg eu hiaith, er bod yr elfen Saesneg yn tyfu'n gyflym. Ond, rywsut, roedd Ffrangeg yn dal ei thir o hyd.

Rai blynyddoedd yn ddiweddarach mi fûm eto yn Dubrovnik ac erbyn hynny roedd yr iaith Ffrangeg fel petai wedi'i halltudio. Cefais swper yng nghwmni Ffrancwr a oedd wedi teithio yn yr India, yn Nwyrain Asia ac yn America. Roedd yn hynod rugl ei Saesneg. Dywedodd ei fod, wrth siarad Ffrangeg, yn ymwybodol o'r delweddau a oedd yn ymwneud â'r iaith, ac yn gallu eu gwynto, bron, sylw a oedd yn gyfarwydd i mi wrth feddwl am y Gymraeg. 'When I speak English,' meddai, 'I feel nothing of that; it is just a thing, just a thing.' Teimlais fod yr ymrafael rhwng y Ffrangeg a'r Saesneg yn adlewyrchu rhywfaint o'r ymrafael rhwng Caerdydd ac Abertawe. Ganrif a hanner yn ôl, Ffrangeg oedd prif iaith ddiwylliannol Ewrop, fel yr oedd Abertawe yn brif ganolfan ddiwylliannol Cymru.

Roedd yr Athro Chrimes, a oedd yn Dori rhonc, yn amheus iawn o'm hymweliad ag Iwgoslafia. Roedd hyd yn oed yn fwy amheus ynglŷn â'm hymweliadau ag Iwerddon. 'Nobody,' dywedodd, 'should want to leave the Empire.' Fodd bynnag, roedd dilyn ei gwrs ar gamfeddiant Richard III a'i nodiadau brwd wrth gynffon fy nhraethodau yn ysbrydoliaeth. Ni chredaf fy mod wedi disgleirio yn fy arholiadau gradd a thybiaf mai ef a berswadiodd yr arholwyr allanol i ddyfarnu gradd ddosbarth cyntaf i mi. Roedd gradd o'r fath yn fy ngalluogi i weithio am ddoethuriaeth yng Ngholeg y Drindod, Caergrawnt, a derbyn ysgoloriaeth a fyddai'n fy nghynnal yno.

Ar ôl graddio yng Nghaerdydd treuliais rai wythnosau yn cynorthwyo ymgyrch Neville Williams, ymgeisydd Plaid Cymru yng Ngorllewin Sir y Fflint. Roedd y gogledd-ddwyrain yn ardal gwbl ddieithr i mi ond rwy'n falch iawn fy mod wedi dod i'w hadnabod oherwydd teimlaf ei bod yn fro nad yw'n cael ei haeddiant yn stori Cymru. (Cefais yr un ysbrydoliaeth yn nes ymlaen wrth aros yn Llyfrgell Gladstone ym Mhenarlâg). O Sir y Fflint, euthum i Ysgol Haf Plaid Cymru yn Llangefni ac yno, y tu allan i westy'r Bull, cefais flas arbennig ar gwmni deallusion ifainc Plaid Cymru. (Mae gan Cynog Dafis, yn ei hunangofiant, *Mab y Pregethwr*, sylwadau diddorol am y seiadau hynny.) Boddi Cwm Tryweryn oedd prif destun yr ysgol haf a threfnwyd y byddem yn amharu ar ymweliad y Gweinidog Materion Cymreig, Henry Brooke, â'r Eisteddfod Genedlaethol ym Mangor. Ond bu'n ddigon doeth i gadw draw.

Teimlais hefyd yr awydd i adnabod mwy o Loegr a daeth ffawdheglu ar hyd yr A40 yn weithgaredd cyson. Yr oedd ymweld â chadeirlannau Chaerloyw a Chaersallog a gweld yr ardd yn Hidcote yn hyfryd, ac mi ddes i ddotio at dywyslyfrau Michelin. Credwn fy mod ar fin cyrraedd adref wrth ddod i Bontsenni a gweld yr hysbyseb 'Raleigh, y beisycl sy'n ddur i gyd' – yr unig hysbyseb Gymraeg, bron, a fodolai yng Nghymru'r pryd hwnnw.

Ond para a wnaeth fy hoffter o'r de-ddwyrain. O newid fy nhŷ lojin bob tymor, cefais gyfle i fyw mewn deuddeg ardal wahanol o Gaerdydd, a dod i adnabod y ddinas yn dda. Roedd yr amrywiaeth lojins yn golygu dod i gysylltiad â lliaws o warchodwragedd a oedd yn frwd i'm perswadio i edrych ar y teledu – *Come Dancing* a *Top of the Pops* yn arbennig – profiad a barodd i mi deimlo nad oedd teledu yn gyfrwng a oedd yn apelio ataf, teimlad na wnes i erioed gefnu arno. Credai pawb fod lluniau ar y teledu yn well yn y tywyllwch ac felly, pan oedd hi'n nosi byddent yn cau'r llenni ac yn eistedd heb olau. Roedd hyn i gyd yn ddieithr i mi gan na chawson drydan ym Mwlch-llan tan ar ôl i mi raddio.

Roedd Anne, fy chwaer, yn dysgu ym Merthyr, a phrynodd gar. Awn bob dydd Sadwrn ar y trên o Gaerdydd i Ferthyr a byddai hi'n fy ngyrru i lefydd megis Bannau Brycheiniog, Aberhonddu, Tre-twˆr, Llyn Syfaddan, Cefn-y-bedd, Tredegyr, Glyn Ebwy a Blaenafon. Ni sylweddolais ar y pryd y byddai dod i adnabod Brycheiniog a Blaenau Gwent mor bwysig imi. Mi gofiaf ffawdheglu o'r Fenni i Ferthyr. Euthum trwy Glydach – y Clydach go-iawn. Ceir Clydach yng Nghwm Tawe ac un arall yn y Rhondda, ond yr un go-iawn yw'r un rhwng y Fenni a Bryn-mawr. Yno, cyfarchais ddau oedolyn a oedd yn hebrwng plant ar draws yr heol ger yr ysgol. Flynyddoedd yn ddiweddarach deuthum i'r casgliad fy mod wedi cyfarfod â'm darpar rieni yng nghyfraith, er na chwrddais â hwy na chynt na chwedyn.

Pan adewais Caerdydd yr oeddwn eisoes yn breuddwydio ynglŷn â'r hyn roeddwn eisiau ei gyflawni yn ystod fy mywyd.

Cael teulu oedd ar ben y rhestr (dwy ferch a dau fab oedd y ddelfryd); yn ogystal, gobeithiwn allu gwneud rhywbeth adeiladol yn y cyd-destun Cymreig, cyfrannu at astudiaethau hanesyddol, sicrhau digon o gyfoeth i deithio'r byd, bod yn berchen ar ardd helaeth a llwyddo i ddysgu cynganeddu. A minnau bellach yn fy saithdegau, hyfryd yw cofnodi fy mod yn credu i mi gyflawni'r cwbl o'm dyheadau – heblaw'r olaf.

Euthum i Goleg y Drindod, Caergrawnt ym mis Hydref 1959. Yr oedd rhinweddau i'r lle – gwell llyfrgelloedd, er enghraifft – ond syndod i mi yw'r drafodaeth bresennol sy'n awgrymu mai dyletswydd pob ysgol uwchradd yng Nghymru yw sicrhau bod y nifer mwyaf posibl o'u disgyblion yn cyrraedd y 'prifysgolion gorau'. Yr oedd y drafodaeth ymhlith y myfyrwyr yn goethach yng Nghaergrawnt (ond weithiau'n hynod hen ffasiwn) nag ydoedd yng Nghaerdydd ond roedd yno lu mawr o bobl ddi-fflach na fyddai yno oni bai fod eu rhieni wedi talu iddynt fynychu ysgolion bonedd. Cwrddais â nifer o fyfyrwyr o ogledd Lloegr; roeddynt hwy wedi drysu'n fwy na'r myfyrwyr o Gymru, a oedd yn fwy hyderus eu hunaniaeth. Mae agwedd lipa trigolion gogledd Lloegr tuag at drahauster trigolion de-ddwyrain y wlad honno yn dal yn ddirgelwch i mi.

Cofiaf lu o Gymry galluog yng Nghaergrawnt, yn eu plith y mathemategwr disglair Elmer Rees, Saunders Davies (a ddaeth yn Esgob Bangor), David Davies (a ddaeth yn is-brifathro Coleg Llambed), Brian Evans, y daearyddwr diddorol o Lerpwl, a'r cyfrifiadurwr Frank Bott. Mi fûm yn llywydd Cymdeithas y Mabinogi, cymdeithas a oedd yn drwm ei dyled i Alun Moelwyn Hughes, un o'r ychydig ddarlithwyr a gymerai ddiddordeb yng ngweithgarwch y myfyrwyr Cymreig. O blith y myfyrwyr, yr un a wnaeth yr argraff fwyaf arnaf oedd Phil Williams o Gwm Rhymni. Bûm gydag ef ar daith drwy Gymru yn gwerthu'r *Welsh Nation* ac yn ystod y daith honno cyflwynais Phil i Dafydd Wigley, Gwynfor Evans a Harri Webb, pob un ohonynt yn cydnabod ei fod wedi cyfarfod â pherson o allu neilltuol. Ceir teyrnged i Phil yn *Be Nesa!*, pedwaredd gyfrol hunangofiant Dafydd Wigley, ac mi luniais innau hefyd lith er cof amdano. Anodd i mi yw derbyn nad ydyw gyda ni bellach. Hoffwn feddwl fy mod wedi gwneud ambell beth adeiladol yng nghyd-destun y mudiad cenedlaethol ond llofnodi ffurflen gais Phil i fod yn aelod o Blaid Cymru yw'r un a ymfalchïaf ynddo fwyaf. Roedd ei farwolaeth yn 2003 yn drasiedi genedlaethol.

Digon diflas oedd cryn dipyn o'r cefn gwlad o gwmpas Caergrawnt. Gellir cael adlais o siom Wordsworth yn ei linell: 'I went into the fields, the level fields.' Yr oeddwn yn dysgu gyrru car yno ac roedd angen mynd am filltiroedd i ddarganfod codiad tir a fyddai'n rhoi cyfle i ddysgwr ymarfer dechrau ar riw. Ond, o fod â char, roedd mannau hyfryd o fewn cyrraedd, yn eu plith drefi fel Ely a Thaxted, a phentrefi deniadol bryniau Suffolk.

O'm cyfeillion yng Ngholeg y Drindod, un o'r hyfrytaf oedd Richard Villebinsky, brodor o Wlad Pwyl yr ymsefydlodd ei deulu yn Awstralia wedi'r Ail Ryfel Byd. Bu'n aros gyda ni ym Mwlch-llan. Diddorol oedd ei glywed yn siarad Pwyleg â'r plant yn iard Ysgol Trefilan a darganfod bod nifer ohonynt yn ei ddeall. Dywedodd Mari James, Llangeitho, mai sail llwyddiant ei chwmni bysys hi a'i gŵr oedd cludo Pwyliaid Dyffryn Aeron i'r gwasanaethau Catholig yn Llambed. Ganol y pumdegau, roedd mwy o lyfrau Pwyleg yn llyfrgell gyhoeddus Llambed nag yr oedd o lyfrau Cymraeg.

Y rhai a gofiaf orau yng Nghaergrawnt oedd y myfyrwyr o'r India. Yr oedd tri ohonynt yn trigo yn y tŷ moethus a rannem yn Grange Road. Un surbwch oedd Mr Rasul (ni ddarganfyddais erioed beth oedd ei enw cyntaf). Roedd yn aelod o deulu pwerus a phan ddaeth Nehru i Lundain aeth

Mr Rasul i'w weld, a hynny, mi dybiwn, er mwyn plesio'i fam a oedd yn ffigwr allweddol ym Mhlaid y Gyngres yn Lucknow.

'Beth yw eich cyfeiriad?' gofynnais iddo rywdro.

'The Mall, Lucknow,' oedd yr ateb.

'Pa rif?' medde fi.

'Just The Mall, Lucknow,' oedd ateb Mr Rasul. Eisteddai drwy'r dydd yn cwyno'n barhaus am ddiffyg dyfnder ac ariangarwch yr Americanwyr, a dymunol oedd ei weld yn diflannu – i ble, ni wn.

Mwy dymunol o lawer oedd Arun Abhyanker. Ac yntau wedi byw ym Mumbai, Rhufain ac Efrog Newydd, ef oedd y person mwyaf cosmopolitan i mi gyfarfod erioed; fodd bynnag, roedd yn deyrngar iawn i ddiwylliant Maharashtra – a dyna'r rheswm, efallai, pam y datblygodd ddiddordeb mawr yng Nghymru. Bu ar gwrs ar Gymru yng Ngholeg Bangor; euthum yno i'w gyfarfod ac ymwelsom ag Ynys Llanddwyn, man hudolus yn ei farn ef. Yr oedd Albanwr a drigai yn yr un tŷ â ni â diddordeb mawr yn y syniad o 'Princes Street Highlander' – rhywun a ymfalchïai'n fawr yn ei gysylltiadau â'r Ucheldiroedd ond a oedd wrth ei fodd yn byw yng Nghaeredin. Penderfynodd Arun fod y syniad hefyd yn berthnasol i'r India, a bathodd y term 'Rajpat Himalayian' ar eu cyfer. Teimlwn ei fod yn berthnasol i Gymru yn ogystal, a bathais y term 'Queen Street Snowdonian'. Roedd ymgais cyfaill o Wyddel –'O'Connell Street Macgillycuddy Reeksian' – yn llai llwyddiannus.

Fy nghyfaill pennaf yng Nghaergrawnt oedd Amyia Bagchi, myfyriwr Economeg o Kolkata. Erbyn hyn mae wedi ennill bri rhyngwladol, yn enwedig yn sgil ei lyfr *The Political Economy of Underdevelopment*. Bu'n aros gyda ni ym Mwlch-llan ar sawl achlysur ac roedd wrth ei fodd, pan aeth Mam ag ef i'r ysgol, fod y plant wedi dod i'w adnabod fel 'y dyn du'. Bûm yn ymweld ag ef pan oedd yn gymrawd yng Nghaergrawnt a Pharis, a sylweddolais fod pob llyfr y gwyddwn amdano wedi'i ddarllen ganddo ef. Ac yntau erbyn hyn yn ei saithdegau hwyr, mae wedi blino ar deithio a diau mai fy ymweliad ag ef yn 2013 fydd y tro olaf y caf ei weld. Bryd hynny, cefais ganddo gopi o'i gyfrol ddiweddaraf, *Perilous Passage*. Trefnais innau iddo dderbyn copi clawr caled o'm cyfrol *Hanes Cymru*. Ac yntau'n ymddiddori'n fawr yn yr hyn a gyhoeddir yn yr iaith Fengaleg, yr oedd wrth ei fodd yn dangos *Hanes Cymru* i'w gyfeillion yn Kolkata; prawf ydoedd, yn ei farn ef, fod modd cyhoeddi cyfrol goeth ei hymddangosiad mewn iaith lai ei defnydd. O'r braidd fod sylwedd i'r gymhariaeth, o gofio bod 250,000,000 o bobl yn siarad Bengaleg, a llai na hanner miliwn yn siarad y Gymraeg. Fodd bynnag, ceir peth tebygrwydd rhyngddynt gan fod Bengaleg lafar yn medru bod yn wahanol iawn i'r iaith ysgrifenedig. Cefais brawf o hynny pan gefais gan Amyia gopi o erthygl arnaf yr oedd wedi'i hysgrifennu ar gyfer *Bangla*, un o gyfnodolion pwysicaf Kolkata. Doedd neb o'm cymdogion Bengaleg eu hiaith yn medru ei chyfieithu (roedd yr iaith yn rhy grand, medden nhw), ond fe wnaed hynny gan gwmni arbenigol. Yr oedd yr erthygl yn hynod ganmoliaethus, er efallai fod Amyia wedi gorbwysleisio fy niogi.

Deilliodd y syniad am fy niogi o'r ffaith fy mod yng Nghaergrawnt yn eistedd a siarad yn hytrach na mynychu'r llyfrgell. Yn Aberystwyth, Caerdydd, Llundain a Chaeredin y ceid y ffynonellau ar gyfer astudio ystad Bute ac ni chefais fawr o gyfarwyddyd wrth weithio arnynt. 'Send me a postcard, if you want any help,' oedd sylw fy nghyfarwyddwr. Byddwn wedi derbyn gofal mwy manwl pe bawn wedi aros yng Nghaerdydd. Ar ryw olwg, roeddwn yn falch fy mod wedi darganfod fy llwybr fy hun, gan i hynny fod yn gymorth yn nes ymlaen wrth ymchwilio i bynciau eraill. Doedd yr archif ganolog – honno yn Mount Stuart, Ynys Bute – ddim wedi'i chatalogio pan oeddwn i'n gweithio ar y pwnc. Mi fûm yn Mount Stuart yn 2010, pan oedd y gwaith hwnnw wedi'i wneud gan yr archifydd hynaws Andrew McLean. Roedd yr archif oedd wedi'i chatalogio mor enfawr fel y byddai angen o leiaf oes gyfan i fynd trwy'r cwbl; felly, teimlaf yn aml mai dim ond ymwneud ag ymylon y pwnc a wnes.

Treuliais wythnosau lawer yn ymchwilio yn y Llyfrgell Genedlaethol, gan aros yng nghartref fy mam yn Nôl-y-bont, yn y tŷ roedd hi wedi'i brynu ar ôl ymddeol o brifathrawiaeth Bwlch-llan. (Roedd y tŷ oddi mewn i ffiniau'r plwyf a chanddo'r enw hyfryd Llanfihangel Genau'r Glyn – neu 'Lanfihangel Gee Gee' ar ôl yr helynt gyda chig ceffyl yn 2013.)

Mi ddarfu i ail ardalydd Bute (1794–1848) ysgrifennu o leiaf bum llythyr y dydd; cadwodd gopïau ohonynt i gyd, a chadwodd hefyd gopïau o'r atebion. Gwnaeth hynny am o leiaf ddeng mlynedd ar hugain – cyfanswm o dros gan mil o lythyron. Mae'r rhan fwyaf ohonynt yn y Llyfrgell Genedlaethol a chredaf fy mod wedi'u darllen i gyd. Roeddynt yn dystiolaeth o ymroddiad gŵr yn yr Alban a oedd yn awyddus i chwyldroi deheudir Cymru drwy lythyra. Dim ond yn araf y llwyddwn yn y gwaith, yn rhannol oherwydd ei natur ac yn rhannol oherwydd i mi ymgymryd â gweithgareddau eraill.

Yr oeddwn yn sefyll ar risiau'r Llyfrgell Genedlaethol ar ddiwedd gaeaf 1962, yn cael egwyl o'r gwaith o ddiberfeddu prydlesau glo'r Rhondda (gweler y chweched bennod o *Cardiff and the Marquesses of Bute*). Yno, pwysodd Gareth Miles arnaf i geisio ennill cefnogaeth iddo yn ei ymgais i sicrhau gwysion yn Gymraeg. Ym mis Ionawr, roedd Gareth wedi dod i ymrafael â'r awdurdodau oherwydd trosedd ddiniwed o'i eiddo. Taerai Gareth, os codai achos o'r digwyddiad, y byddai'n mynnu cael ei wysio i'r llys yn Gymraeg. Pan ddaeth y wŷs Saesneg ym mis Mai ac y gwrthododd ynadon Aberystwyth ystyried cais am wŷs Gymraeg, treuliodd Gareth noson yn y carchar – y cyntaf mewn olyniaeth anrhydeddus.

Rhwng dechrau'r helynt a'i ddiwedd, traddododd Saunders Lewis ei ddarlith radio 'Tynged yr Iaith'. Mynnodd Saunders Lewis fod angen 'ei gwneud yn amhosibl dwyn ymlaen fusnes llywodraeth... heb y Gymraeg' a dadleuodd mai polisi i fudiad oedd ganddo mewn golwg. Ac yntau'n ystyried mai Plaid Cymru y dylai'r mudiad hwnnw fod, ni welai fod angen mudiad arall. Yr oedd ein cam nesaf yn gwbl gyson â'i genadwri. Yng nghyfarfod cangen Plaid Cymru Aberystwyth, a gynhaliwyd yn fflat Beti Jones, Rhodfa'r Gogledd (bwyty'r Eidal Fach erbyn hyn), awgrymais y dylid cyflwyno cynnig o Aberystwyth i gynhadledd Plaid Cymru ym Mhontarddulais yn galw 'ar ganghennau'r Blaid i drefnu gweithgaredd a fyddai'n gorfodi'r awdurdodau i roi statws swyddogol i'r Gymraeg'. Agorwyd y drafodaeth ym Mhontarddulais gan Tedi Millward ac eiliwyd y cynnig gennyf fi. Fe'i cariwyd yn unfrydol.

Ond nid oedd y naill na'r llall ohonom am weld Plaid Cymru yn cyfyngu'i hun i fod yn fudiad iaith milwriaethus a throi ei chefn ar yr hyn a alwodd Saunders Lewis yn 'etholiadau seneddol diamcan'. Yr oedd gan y ddau ohonom barch at Gwynfor Evans â'i ymlyniad egwyddorol at y blwch pleidleisio, ac at Emrys Roberts a oedd yn gweithio'n galed i ennill cefnogaeth i egwyddorion Plaid Cymru ymhlith trigolion de-ddwyrain Cymru – nid ymhlith alltudion o'r gogledd a'r gorllewin, ond ymhlith pobl gynhenid dwyrain Morgannwg a Gwent. Nid pobl a ddenwyd i'r mudiad cenedlaethol oherwydd eu pryder ynglŷn â dyfodol y

Gymraeg oedd y bobl hynny, er i gyfran helaeth ohonynt ddod i deimlo i'r byw drosti.

Felly, roedd fy ngwahoddiad i'r rhai a oedd am weithredu i ddod i un o ystafelloedd ysgol uwchradd ym Mhontarddulais i drafod gweithgareddau pellach yn dystiolaeth ein bod yn cefnu ar strategaeth Saunders Lewis ac yn anelu at sefydlu mudiad ar wahân i Blaid Cymru. Daeth deuddeg o bobl ynghyd – mwy nag yr oeddwn wedi'i ddisgwyl, a hynny o bosibl oherwydd bod Tedi a minnau'n cael ein hystyried fel pobl 'gymedrol'. Roedd digon o eithafwyr o'n cwmpas a byddai rhai o'r rheini'n dra beirniadol ohonom yn y misoedd dilynol. Gofynnwyd i ni drefnu 'gweithgarwch pellach os bydd awdurdodau Aberystwyth yn gwrthod sicrhau gwysion Cymraeg'. Ni ellir cael gwŷs heb droseddu ac felly roedd elfen o dor cyfraith wedi'i hadeiladu i mewn i'n gweithgareddau o'r dechrau – yn ddamweiniol, bron.

Bu Hydref 1962 yn gyfnod prysur. Gwir ddechrau'r mudiad oedd cyfarfod ganol mis Hydref yn nhafarn y Ceffyl Gwyn yn Aberystwyth. Ynddo, cytunasom ar yr enw Cymdeithas yr Iaith Gymraeg a hynny oherwydd edmygedd Tedi Millward o aelodau'r gymdeithas wreiddiol o'r un enw, a sicrhaodd droedle i'r Gymraeg yn y system addysg yn nawdegau'r bedwaredd ganrif ar bymtheg. Dechreuwyd gohebiaeth helaeth ag ynadon Aberystwyth; derbyniwyd awgrym Graham Hughes, aelod hynod dalentog o Adran y Gyfraith yn Aberystwyth, mai plastro adeiladau cyhoeddus â phosteri'n galw am gydnabyddiaeth i'r Gymraeg fyddai'r ffordd orau o weithredu a chroesawyd parodrwydd Huw T. Edwards i fod yn llywydd y gymdeithas. Anfonodd ef bum punt atom, ond costus oedd cysylltu â chefnogwyr cyn dyfodiad y we. Er bod Mam yn ffieiddio unrhyw beth a allai olygu y byddai ei mab mewn trafferth gyda'r heddlu, ofnaf mai hi, trwy ei biliau teleffon, a dalodd am gyfran helaeth o'r cysylltu. Mi dalais innau gostau stampiau ar gyfer gohebiaeth helaeth, cost y glud a chost y posteri (£7 13s o Wasg Liw Aberdâr). Wedi ein protest gyntaf, derbyniais siec o ddwy gini gan Saunders Lewis; rhuthrais â hi i'r banc ond, o oedi, mae'n debyg y medrwn fod wedi cael tipyn mwy na dwy gini am siec uniaith Saesneg wedi'i llofnodi gan y dyn ei hun.

Trefnwyd y byddwn yn plastro'r arwyddion ar 2 Chwefror 1963, un o ddiwrnodau oeraf yr ugeinfed ganrif. Doedd dim dŵr yn nhŷ Mam a bu'n rhaid i mi doddi eira er mwyn creu glud. Anfonais y llythyron yn gwahodd pobl i'r brotest pan oeddwn yn gweithio ar archif Bute yng Nghaerdydd ac yn aros yng nghartref Meic a Margaret Tucker yn Heol Cernyw, Grangetown; mae Owen John Thomas o blaid cael plac glas ar y tŷ. Fy ngohebydd mwyaf brwd oedd Robat Gruffudd (y Lolfa yn ddiweddarach); addawodd y byddai'n trefnu bod llond bỳs o fyfyrwyr Bangor yn dod i'r brotest (gweler *Wyt ti'n Cofio*, Gwilym Tudur, t.24). Roedd cael cefnogaeth rhywun a chanddo wreiddiau teuluol yn y Rhondda yn golygu llawer i mi.

Cafwyd aml i ddisgrifiad o brotest 2 Chwefror 1963, yn arbennig ar achlysur yr hanner can mlwyddiant yn 2013. Maent bron i gyd yn gamarweiniol. Plastro adeiladau gyda phosteri a drefnwyd gennyf i a Tedi – protest a drefnwyd yn ofalus iawn. Doedd gennym ddim bwriad o atal y traffig ar Bont Trefechan – protest ffwrdd â hi, braidd – a phe bai rhywun wedi cael ei anafu'n ddifrifol oherwydd yr estyniad hwnnw i'n protest, byddai hynny wedi bod ar ein cydwybod hyd heddiw. Roedd yr estyniad yn ganlyniad amharodrwydd ynadon a heddlu Aberystwyth i gymryd unrhyw sylw o'n protest. Es i a Tedi i Swyddfa'r Heddlu i erfyn arnynt i arestio'r protestwyr – heb gydnabod, wrth gwrs, mai ni a'u trefnodd. Efallai mai'r sylw allweddol oedd hwnnw gan ohebydd y *Daily Express*, a ddywedodd na fyddai ei bapur yn cynnwys unrhyw sôn am y brotest os nad oedd rhywbeth mwy dramatig yn digwydd. Clywyd ei eiriau gan y protestwyr mwyaf penboeth, a hwy a aeth i lawr at y bont i atal y traffig. Dichon i'r brotest ar y bont arwain at lawer mwy o sylw yn y wasg nag y byddai wedi deillio o blastro posteri; os felly, dyma'r unig achlysur yn hanes y Cymry pan fu ganddynt achos i ddiolch i'r cyfnodolyn rhyfedd hwnnw.

Er gwaethaf y cyhoeddusrwydd helaeth, ni fu fawr o symudiad o du'r awdurdodau. Ysgrifenasom at bob awdurdod ynadon yng Nghymru. Yr oedd y rhan fwyaf ohonynt yn addo edrych i mewn i'r mater, er i glerc ynadon Aberhonddu wrthod derbyn llythyr yn Gymraeg. Fi, o Gaerdydd, a dderbyniodd y wŷs Gymraeg gyntaf, a hynny oherwydd anogaeth Ioan Bowen Rees (cynghorydd cyfreithiol Cyngor Caerdydd ar y pryd) ac, efallai, oherwydd yr helynt yn Aberystwyth. Ysgrifenasom hefyd at bob awdurdod lleol yng Nghymru yn holi yn Gymraeg am statws henebion yn eu hardaloedd, a hynny oherwydd datganiad awdurdodau lleol Cymru eu bod bob amser yn ateb llythyron Cymraeg yn Gymraeg. Doedd hynny ddim yn wir; yn ddiddorol, cafwyd mwy o atebion Cymraeg o ardaloedd Saesneg eu hiaith nag o ardaloedd Cymraeg eu hiaith. Fodd bynnag, darfu i un clerc danfon fy llythyr yn ôl gyda'r nodyn nad oedd yr awdurdod yn barod i dderbyn llythyr os nad ydoedd yn Saesneg. Trefnais i ddynes ym Mharis anfon llythyr yn Ffrangeg ato yn holi am westai yn yr ardal. Ni wn beth oedd ei farn o dderbyn *French letter* ond fe'i hatebodd – yn Saesneg, rhaid cydnabod – ond mewn modd cwbl gwrtais.

Mewn cyfarfod yn Aberystwyth ar 18 Mai 1963, penderfynwyd ar amcanion y mudiad; penodwyd pwyllgor (gyda John Daniel yn gadeirydd) a chytunwyd ar garden a thâl aelodaeth. Barnwyd bod modd rhoi cychwyn ar lu o ymgyrchoedd – llawer mwy nag roedd gennym yr adnoddau i'w cynnal. Yn eu plith roedd cofrestru plant newydd-anedig yn Gymraeg, sicrhau sieciau a biliau trydan yn Gymraeg, cynorthwyo ymgyrchoedd myfyrwyr Bangor ac Aberystwyth i Gymreigio'u colegau, a hybu ymgais Owain Owain (a oedd yn gyfrifol am gangen hynod fywiog ym Mangor) i sicrhau cylchrediad sylweddol i'r cylchgrawn *Tafod y Ddraig*.

Ymgyrch a ddenodd sylw helaeth oedd honno'n ymwneud â swyddfa'r post. Trefnwyd ein bod yn meddiannu swyddfa bost bob dydd Sadwrn a llwyddasom i wneud hynny yn Llambed, Machynlleth a Dolgellau; crybwyllwyd yr helynt a ddeilliodd o'r olaf yn nrama Saunders Lewis, *Cymru Fydd*. Bu un ymgyrch o'm heiddo yn fethiant llwyr. Roeddwn wedi sylwi pa mor Seisnigaidd oedd enwau tafarndai a pha mor Seisnigaidd oedd y posteri oddi mewn iddynt; oherwydd hynny, credais y byddai eu perchnogion yn newid eu polisïau pe bai rhai degau o bobl ifainc yn eistedd ynddynt am bedair awr a mwy heb brynu mwy na hanner peint o gwrw yr un. Trefnais noson o'r fath ond ni ddaeth neb. Fodd bynnag, bu cwmni Hancocks yn gyfrifol am blaciau hardd ar fur pob tafarn yn datgan 'Hancocks: Arwydd Lletygarwch'. Mae'n ymgyrch y byddai'n werth ei hailgodi.

Roedd gweithgaredd y gymdeithas wedi derbyn cymeradwyaeth Gwynfor Evans, a diddorol yw sylw Emrys Roberts fod creu'r gymdeithas wedi bod yn allweddol i barhad Plaid Cymru. Fodd bynnag, erbyn 1963, roedd etholiad 1964 ar y gorwel. Gan fod trwch yr etholwyr yn credu – yn gywir, efallai – nad oedd fawr o wahaniaeth rhwng ymgyrchwyr Plaid Cymru a phrotestwyr Cymdeithas yr Iaith, roedd yr elfennau mwyaf sefydliadol oddi mewn i Blaid Cymru am i ni bwyllo. Efallai imi fod yn rhy barod i ddilyn eu cyfarwyddyd ond roedd gennyf bethau eraill i'w gwneud. Roedd fy ysgoloriaeth yn dod i ben; roedd yn rhaid i mi chwilio am gyflog ac roedd pentwr o waith eto i'w wneud ar fy noethuriaeth. Felly, cefnais ar gryn dipyn o'm gweithgaredd gwleidyddol. Ond sylweddolaf erbyn hyn, fy mod, ar ddechrau'r 1960au, ar drothwy'r cyfnod mwyaf dedwydd yn fy mywyd.

4

Abertawe a Dryslwyn

1963–1973

DDECHRAU HAF 1963, teithiais o Gaergrawnt i gyfweliad
yn Abertawe am swydd darlithydd yn Adran Hanes Coleg
y Brifysgol yno. Darlithyddiaeth drwy gyfrwng y Gymraeg
ydoedd, ac fe gynigiwyd y swydd i mi. Roedd y cyfweliad
yn hynod. Dechreuodd yn Saesneg o dan gadeiryddiaeth
Lewis Jones, gŵr a oedd yn amau fy ngallu i siarad Cymraeg
gan fod gennyf, ar y pryd, acen eithaf Seisnigaidd. Trodd y
cyfweliad i'r Gymraeg; sylwodd T. J. Morgan fy mod wedi
camdreiglo rhywbeth ac awgrymodd fy mod yn meistroli
cynnwys ei gyfrol ar gystrawen a threigladau'r Gymraeg,
Y Treigladau a'u Cystrawen (1952). Gorfoleddus oedd cael
gwybod y byddwn yn medru ennill cyflog ac felly gael
arian i ganolbwyntio ar fy niddordebau. Roeddwn yn byw
mewn cyfnod hynod ffodus pan fedrech fod yn fyfyriwr
am chwe blynedd a mwy, a gorffen heb ddyled. Yn ogystal,
medrwn brynu tŷ tair stafell wely yng Nghilâ ar gyrion
Abertawe am fawr mwy na dwywaith fy nghyflog blynyddol
– cyfnod paradwysaidd, yn wir. Gan ddilyn esiampl Mam
yn Nhreorci, prynais ryddfraint y tŷ. Yn y 1960au, roedd
rhyddfraint trigleoedd yn bwnc llosg; medrai fod yn ganolog
i gynrychiolaeth aml i etholaeth.

Ganol haf 1963, euthum gyda Meic Stephens, Peter

a Shelagh Hourahane a Roderic Evans ar daith ledled Iwerddon. Diddorol oedd cyrraedd Skibbereen yn Swydd Cork, tarddle'r teulu Hourahane, a darganfod bod mwy o bobl â'r cyfenw hwnnw yn llyfr teleffon Caerdydd nag yng nghrynswth llyfrau teleffon Iwerddon. Dotiais ar brydferthwch Kerry, Connemara a Donegal, a chofiaf y ffrwgwd a gawsom yng Ngogledd Iwerddon pan ddywedodd Meic Stephens wrth heddwas ei fod yn falch o'r cyfle i ymweld â 'British occupied Ireland'.

Yn Nulyn y cawsom y wefr fwyaf. Roeddem yn y Newport Arms yn Drogheda, yn bennaf oherwydd bod llun enfawr ar fur y dafarn o Bont Lwyfan Casnewydd – adeiladwaith y mae gennyf obsesiwn cynyddol amdano. Roeddem wedi chwilio trwy lyfr teleffon Dulyn er mwyn ceisio dod o hyd i westy rhad yn y ddinas. Wrth fynd trwy golofnau'r llyfr, sylwais fod ynddo rif ffôn ar gyfer 'President of the Republic of Ireland'. (Éamon de Valera oedd yn y swydd ar y pryd.) Ffoniais y rhif gan ddweud ein bod yn bobl ifainc o Gymru; roedd gennym ddiddordeb dwfn yn Iwerddon, a dymunol fyddai cyfarfod â'r Arlywydd. Cawsom wahoddiad gan ei gynorthwywr i ddod i de gyda De Valera drannoeth. Bu rywfaint o helynt ger llidiardau'r palas arlywyddol, gan i Peter neidio o'r car a dadwisgo er mwyn newid ei grys. 'Fedra i ddim cyfarfod â'm harlywydd,' meddai, 'mewn crys brwnt.'

Cawsom tuag awr o gwmni De Valera, a sylwais fod ganddo gloc mawr o'r Drenewydd yn ei swyddfa. Gofynnais iddo a fyddai'n barod i gondemnio cynllun Lerpwl i foddi Cwm Tryweryn, a'i ateb oedd: 'Mr Lemass [y prif weinidog] does not allow me to talk politics any more.' Ac yntau'n gwisgo'r cylch aur a arddelid gan siaradwyr yr Wyddeleg, nid rhyfedd mai'r Gymraeg yr oedd am ei thrafod yn bennaf. Soniodd droeon am ei ymweliad â Chaernarfon ac am ei syndod fod lliaws y bobl yn y stryd yno yn siarad Cymraeg. 'And it was a town,' meddai; 'it was a town.' Roedd Meic Stephens am iddo siarad am ei rôl yn Rhyfel Cartref Iwerddon ond tynnu ei declyn clywed allan o'i glust a wnaeth. Gwasgodd fotwm; daeth ei gynorthwywr i'r ystafell a gadael a wnaethom, ond nid heb dderbyn cnwd o bamffledi am y jerimandro cywilyddus a gynhelid gan y drefn Brydeinig yn Derry. (O ddychwelyd i Brydain ac edrych ar lyfr ffôn Llundain, methais ddarganfod unrhyw rif ffôn o dan 'Queen of Great Britain and Northern Ireland'; mae tipyn i'w ddweud o blaid gweriniaeth.)

Ymsefydlais yn hapus yn Abertawe a daeth fy haid gynharaf o fyfyrwyr yn gyfeillion oes i mi. Heb roi gwybod i'r Adran, llogais fan undeb y myfyrwyr a chludo'r dosbarth cyfan i'r llys yng Nghaerfyrddin er mwyn iddynt glywed yr ynadon yn cosbi Hywel Davies am wrthod cofrestru ei fab yn Saesneg yn unig. Hyfryd, flynyddoedd yn ddiweddarach, oedd clywed Yvonne Matthews o Langennech ac Emyr Puw o Ddinas Mawddwy yn dweud mai hwnnw oedd y profiad addysgiadol mwyaf cofiadwy a ddaeth i'w rhan yn ystod eu cyfnod yn Ngholeg Abertawe.

Treuliwn aml i noson ym Merthyr, lle roedd Garth Newydd, sydd bellach ddim yn bod. Roedd wedi dod yn ganolfan i griw bywiog o genedlaetholwyr. Yno, mi ddes i gysylltiad agos â Harri Webb, gŵr eang ei ddiwylliant a oedd wedi'i drwytho yn y Wenhwyseg gan fynychwyr llyfrgell Dowlais, lle y gweithiai. Roedd gwrando arno'n brofiad hudolus ac fe feddai farn bendant ar bopeth. Aeth nifer o bobl o'r de-ddwyrain i'r de-orllewin i geisio sefydlu cibwts, a sylw Harri oedd: 'Bu dihareb gan yr Americanwyr: "Go west, young man, and grow up with your country". Dihareb y Cymry yw: "Go west, young man, and shrink with your country".' Medrai lunio llu o ddywediadau gwleidyddol bachog. A David Llywelyn, Aelod Seneddol Ceidwadol

Gogledd Caerdydd, wedi mynegi ei frwdfrydedd ynglŷn â boddi Tryweryn, atebodd Harri:

'David, soul of sanctity;
Llywelyn fought to make us free.
David Llywelyn, ych a fi.'

Doedd fawr mwy brwd am gynrychiolwyr Llafur. Pan ddedfrydwyd nifer o gynghorwyr Llafur am amrywiaeth o droseddau, ymateb Harri oedd: 'Isn't it wonderful to come across Labour councillors with real convictions.' Un o drigolion Garth Newydd oedd bardd arall, Meic Stephens o Drefforest, a fu'n gefn mawr i Harri. Daethom yn gyfeillion agos, a braint arbennig i mi oedd bod yn was priodas iddo pan briododd Ruth Meredith yng Nghapel y Tabernacl, Aberystwyth.

Awn bob penwythnos i dŷ Mam er mwyn gorffen fy ngwaith ar archif ystad Bute yn y Llyfrgell Genedlaethol. Byddwn yn galw'n rheolaidd i weld Cynog a Llinos Dafis yn eu cartref, Crug-yr-eryr, yn Nhalgarreg. Anodd oedd osgoi trafod gweithgareddau Cymdeithas yr Iaith Gymraeg yno, ac ailgydiais yn yr ymgyrchu, yn arbennig ar bwnc arwyddion cyhoeddus, mater yr oeddwn wedi'i godi yn y cyfarfod sefydlu ym mis Mai 1963. Bûm mewn gohebiaeth â chlerc Cyngor Sir Benfro yn y gobaith o'i berswadio i newid arwyddion pentref yn y gogledd Cymraeg o 'Trevine' i 'Tre-fin'. Ei ateb oedd: 'There are a number of place-names in Pembrokeshire, originally of Welsh origin, which have a well-recognized Anglicised form... As long as the business of this Council is conducted in English, these forms will continue to be used.' Trefnais fod Meic, a Margaret Tucker, yn mesur yr arwydd a'r bachau a oedd yn ei gynnal, a gwnaeth Meic Stephens gopi ohono ac arno'r enw Tre-fin. Ganol nos ddechrau mis Awst 1964, cyfnewidiasom yr arwyddion a chludwyd yr arwyddion

Saesneg i'w harddangos o flaen pabell y Gymdeithas yn yr Eisteddfod Genedlaethol yn Abertawe. (Gweler *Wyt Ti'n Cofio?* t.31.) Daeth heddwas heibio a gwŷs i'm harestio am ddwyn eiddo Cyngor Sir Benfro. Ni chafodd ei argyhoeddi gan fy nadl ein bod wedi rhoi rhywbeth gwell i'r Cyngor yn lle'r eiddo hwnnw ond, a rhai cannoedd o bobl o flaen y babell, barnodd mai doethach fyddai gadael.

Dyma ddechrau'r ymgyrch i sicrhau arwyddion ffyrdd Cymraeg neu ddwyieithog, ymgyrch a aeth ag ynni'r Gymdeithas am y pum mlynedd dilynol o leiaf. Bu'n ymgyrch chwerw a bu llu o achosion llys a charchariadau. Enillwyd y frwydr oherwydd dygnwch Dafydd Iwan a'i gydbrotestwyr, parodrwydd cefnogwyr dosbarth canol 'parchus' fel Margaret Davies o Abertawe ac Alwyn D. Rees i gefnogi'r protestwyr, ac adroddiad hirben Roderic Bowen. Credaf mai hon oedd buddugoliaeth bwysicaf y Gymdeithas, gan ei bod wedi sicrhau bod y Gymraeg yn weladwy ym mhob rhan o Gymru.

Fy nghyfraniad olaf i weithgarwch Cymdeithas yr Iaith Gymraeg oedd llunio, yn 1964, argymhellion y Gymdeithas i Bwyllgor David Hughes Parry. Comisiynwyd y pwyllgor 'i egluro statws cyfreithiol yr iaith Gymraeg, ac i ystyried a ddylid gwneud cyfnewidiadau yn y gyfraith'. Credem fod sefydlu'r pwyllgor yn ganlyniad i'n gweithgareddau ni ond dichon mai'r amwysedd a amlygwyd yn achos papurau enwebu yn Rhydaman oedd man cychwyn y syniad o'i sefydlu. Aethom ati i astudio statws ieithoedd lleiafrifol – neu ieithoedd llai eu defnydd, a defnyddio term a oedd yn cyflym ennill ei blwyf – maes yr oedd Meic Stephens eisoes yn gryn arbenigwr arno. O ystyried yr ieithoedd yn Ewrop a fu gynt heb fawr o statws, dichon mai'r rhai mwyaf diogel yw'r rheini sy'n sofran yn yr ardaloedd lle mae trwch y trigolion yn eu siarad. (Am amrywiol resymau, ni fu cynllun o'r fath yn llwyddiant gyda'r Wyddeleg.) Roeddem yn sicr o blaid arwyddion dwyieithog ledled Cymru, ond credem y byddai unrhyw gynllun ynglŷn â statws y Gymraeg a fyddai'n addas yng Nghas-gwent yn debyg o fod yn hynod lastwraidd pe bai'r un cynllun yn cael ei weithredu yn Llanuwchllyn. Rhaid felly oedd meddwl yn nhermau rhanbarthau ieithyddol yng Nghymru, a pholisïau gwahanol ar eu cyfer.

Yn y Ffindir y ceir y ddeddfwriaeth fwyaf manwl ar y pwnc. Cefais gyfieithiad o Ddeddf Iaith Ffindir, a defnyddiwyd hwnnw fel sail ein hargymhellion i Bwyllgor David Hughes Parry. Buom yn cyfarfod â'r Pwyllgor ym mis Tachwedd 1964 ac mae'n amlwg fod y cadeirydd wedi'i gynddeiriogi gan yr hyn a ddisgrifiodd fel 'eich cynllun i rwygo Cymru'. Y Gymdeithas oedd yr unig gorff i gymell polisi o'r fath. Fe'i hanwybyddwyd, ac felly collwyd y cyfle i drafod y syniad y dylid sicrhau bod rhai o ardaloedd Cymru yn cael y profiad o fod yn froydd lle roedd y Gymraeg yn mwynhau mesur o sofraniaeth. Gyda llaw, yn ôl tystiolaeth a ryddhawyd yn ddiweddar, roedd gweision sifil yn Llundain yn pwyso'n drwm ar y Pwyllgor i awgrymu fawr ddim. O dan y fath amgylchiadau, mae'n syndod fod unrhyw beth o sylwedd – egwyddor dilysrwydd cyfartal, er enghraifft – wedi deillio o adroddiad y Pwyllgor. Fodd bynnag, diddorol yw gweld bod y sylwebydd craff Royston Jones yn dadlau bod rhinwedd mewn cydnabod y medrai rôl y Gymraeg fod yn wahanol mewn rhai ardaloedd i'r hyn ydyw mewn ardaloedd eraill.

Bûm hefyd yn cwtogi ar fy ngweithgareddau ym Mhlaid Cymru. Y tro olaf i mi fod yn bresennol yn ei Phwyllgor Gwaith oedd y cyfarfod yn y Belle Vue yn Aberystwyth ym mis Tachwedd 1964 pan ddiswyddwyd Emrys Roberts. Profiad diflas oedd hwnnw a phrawf nad oedd sail i'r gred fod Gwynfor Evans yn rhy garedig i fod yn wleidydd. Ef, ys dywed ei gofiannydd Rhys Evans, oedd 'y mwyaf absoliwt o lywyddion'. Ystyriai fod gwreiddioldeb syniadau Emrys Roberts yn fygythiad iddo ef, ac ategwyd ei farn gan ei gyfeillion agosaf. Credodd (yn gyfeiliornus) fod pawb o'r gogledd a'r gorllewin o'i blaid ef ac yn wrthwynebus i Emrys, ac mai fel arall ydoedd ymhlith aelodau o'r de–ddwyrain. Roedd parodrwydd Phil Williams i gydnabod talentau Emrys yn rhywbeth a aeth ymhell i lywio fy marn i ar y mater. Roedd Emrys wedi dweud ers tro y byddai'n ymddiswyddo o ysgrifenyddiaeth Plaid Cymru pan oedd yn debygol y câi swydd arall – sylw a ddehonglwyd gan Gwynfor fel datganiad o ymddiswyddiad. Y ffactor allweddol, efallai, oedd tor priodas Emrys, a'i awydd i briodi Margaret Tucker pan fyddai hi wedi cael ysgariad oddi wrth Meic – pwnc a gafodd sylw mawr yn y papurau poblogaidd. Os bu nodyn ysgafn yn y cyfarfod, Harri Webb oedd yn gyfrifol am hwnnw. Cododd, wynebu'r pwyllgorwyr, a'u hannerch: 'Gwynfor, rydych yn fy nanto. Ym mhob cyfarfod, rydych yn cwyno ein bod yn cael dim sylw yn y wasg Lundeinig, a nawr rydym ar dudalen flaen un o'r papurau dydd Sul mwyaf poblogaidd, rydych yn dal i gwyno.' Collodd Emrys ei swydd ond bu'n ddigon graslon i sefyll dair gwaith fel ymgeisydd Plaid Cymru ym Merthyr – a hynny o dan lywyddiaeth Gwynfor Evans. Ymlafniodd hefyd i sicrhau mai Merthyr fyddai'r cyngor cyntaf i fod o dan arweinyddiaeth cynghorwyr Plaid Cymru.

Y rheswm pennaf pam y gwnes i bellhau oddi wrth wleidydda a phrotestio oedd y pwysau gwaith yng Ngholeg Abertawe. Roedd Glanmor Williams ac Alun Davies, penaethiaid yr Adran Hanes, yn credu y dylai hanesydd fod â'r gallu i drafod hanes unrhyw gyfnod ac unrhyw wlad. O ganlyniad, bu raid i mi bori'n helaeth yn llyfrgell ardderchog y coleg – gweithgaredd a dalodd ar ei ganfed ymhen amser. Arswyd iddynt hefyd oedd y syniad y medrent fod yn benaethiaid adran ac ynddi aelod o'r staff nad oedd eto wedi ennill gradd uwch. Rhuthrais i ysgrifennu penodau ar ystad Bute, gwaith a gafodd ganmoliaeth gan Glanmor Williams.

Ond, bu'r chwedegau yn gyfnod â hyd yn oed mwy o achos i lawenychu. Yr oedd merch ifanc yn yr Adran yn gwneud ymchwil ar hanes gwleidyddol Morgannwg ddiwedd y bedwaredd ganrif ar bymtheg, o dan gyfarwyddyd y disglair Kenneth O. Morgan. Roedd trefn adeiladau Coleg Abertawe yn hynod gyfleus, gydag amrywiaeth o fannau i fwyta yn Nhŷ'r Coleg. A minnau'n treulio crynswth y diwrnod yn y coleg, awn bob nos i ffreutur Tŷ'r Coleg i fwyta. Yno'r âi'r ddynes ifanc hefyd, a dechreuasom sgwrsio. Yr hyn a'm trawodd gyntaf oedd ei bod yn amlwg wedi darllen yr un llyfrau â mi. Wrth gyfeirio at Levin neu Natasha neu Mrs Proudie, doedd dim angen egluro dim. Roedd ei gwybodaeth o weithiau Walter Scott yn enfawr – yr oeddwn ymhell ar ei hôl hi. O grybwyll yr enw Rudolph, bron na welwn dabl achau teulu Hapsburg yn ymddangos ar ei hwyneb. Yr oedd wedi'i chodi ym Mryn-mawr, a chredaf mai'r peth cyntaf a achosodd iddi hi ymddiddori ynof oedd fy adnabyddiaeth – diolch i'm chwaer, Anne – o Frycheiniog a Blaenau Gwent.

Un diwrnod daeth â chyfrol Alun Llywelyn Williams, *Crwydro Brycheiniog*, gyda hi i swper. A hithau â dim ond ychydig o afael ar y Gymraeg, mi fûm yn ei chynorthwyo i'w chyfieithu. Ceir yn y gyfrol aml i gyfeiriad at R. T. Jenkins ac aethom ymlaen i wneud ein ffordd drwy *Ffrainc a'i Phobl*, *Ymyl y Ddalen* a *Casglu Ffyrdd*. Byddai hi – Janet Mackenzie Davies oedd ei henw – yn darllen y Gymraeg. Doedd hynny ddim yn broblem iddi gan fod ynganiad a chystrawen y Gymraeg wedi'u hymgorffori yn y modd y siaradai Saesneg. Yna, byddai'n cyfieithu'r cynnwys. Mewn byr o dro, roedd yn rhugl yn y Gymraeg; yn wir, flynyddoedd yn ddiweddarach, roedd llawer o'r rhai a gyfarfyddai â hi yn gwrthod credu na fu'r Gymraeg yn iaith iddi o'i chrud. Rhaid cydnabod nad

Anne Potter (*née* Davies), mam Mam.

Anne a William Potter, rhieni Mam.

Anne a Mary Potter, fy mam a fy mam-gu.

Daniel Davies, fy nhad, a'i frawd John, yn nauddegau'r ugeinfed ganrif.

Fy rhieni ar achlysur eu priodas o flaen Capel Bethlehem, Treorci, yn 1934.

Bedd teulu Potter ym mynwent Treorci.

Ein cartref yn Heol Dumfries, Treorci.

Fi a'm chwaer
Anne tua 1940.

Fy rhieni a'm chwaer Anne
ym Marcroes tua 1941.

Fi ac Anne yn ein gardd yn Heol Dumfries, Treorci.

Gwibdaith ysgol Sul Bwlch-llan i'r Bermo tua 1951.

Yr heol o'n tŷ ni i lawr i ganol
pentref Bwlch-llan.

Fy mam ac Anne o flaen ein tŷ ym Mwlch-llan.

Fi ym mhumdegau'r ugeinfed ganrif.

Fi yn tywallt *champagne* i Hywel Teifi yng ngwesty'r Savoy.

Ein tŷ ni yn Nryslwyn.

Janet.

I'r Doctor John Davies ar ei ymddeoliad wedi deunaw mlynedd
fel warden Neuadd Gymraeg Pantycelyn

Lle cymysg yw prifysgol
O lawen lu a hen lol,
O haid ffêr a phraidd di-ffloedd
Ar goll tan lwch llyfrgelloedd,
O oriau pêr ac y piss
Ac abadau gwybodus.

Ger y lli, mae'na griw llwyd –
Hen rai hyddysg difreuddwyd,
Ac yno, dro, cael aml dranc
A maeth eithafiaeth ifanc;
Yn ei syrcas, rhydd glasoed
Un naid wyllt cyn mynd i oed;
Wedi'r stŵr, mae 'na ddistâu;
Wedi'r hwyl, cadw i'r rheiliau;
Yn y bae, mae lli bywyd
Yn colli i asbri o hyd.

Ond mae un sy'n gnawd a mêr,
Un â'i wib na fynn aber,
Un ugeinoed tan scinwallt
Yn dirio hyd drwy'r dŵr hallt;
Yn ryff cyt, heb ei sgaffl côl
Na'i fasg o hedd prifysgol;
Rhys fitnic comic yw o
A boi sydyn heb sadio;
Dau ffrydiau geiriau o'i geg:
Dilyn Rheidol ar redeg,
Hof o foi a 'bon vivew',
Tan ei grwcyt yn gracyr.

Dawn jîns sydd i'r warden, John,
Y denim ynysg dynion,
Y Levi's bythol ifanc,
Y brawd Wrangleraidd ei branc;
Athrylith nad yw'n britho
Sy'n ei waed; Osian yw o.

Di-henaint yw y doniau,
Yn eu preim maent yn parhau:
Dawn i weld ein doeau'n nes
A dawn i gydio hanes
Y genedl ar ei gwrannaf
Wrth ysbryd yr hyfryd haf.

Yr wyt sgolar 'hilarius',
Wr y bîb, ioga a'r bûs;
Wr y geg nad yw ar gau;
Wr eang dy storïau;
Wr ffar-owt; y sboutiwr ffraeth;
Wr y dyner wardeniaeth.

Ceisiaist drawn ddistaw dy ddull
Dros ifanc dirio sefyll;
Ein ffon a'n hamddiffynnydd
Yn y cwest mewn siambrau cudd
Ac i lurpyn ar gorped
Rhoist y gair aur, rhoist dy gred;
Y dyn mwyn – buost ein mur,
Preseli i ni'r preshyswyr.

Wedi deunaw'n wardenio,
Deunaw ein tân dan un to,
Daw heno i ben deunaw bom,
Deunaw dy fywyd ynom;
Deunaw o un trydan oedd
A deunaw y da winoedd.

O wahanu, dymunwn
Iti o hyd, win y tŷ hwn,
Ymhell bell eto y bo'r
Achosion dros baschuso,
'Hyd y daith, cadw dy hun
Yn haul, yn Bantycelyn.

Myrddin ap Dafydd

Cerdd gan Myrddin ap Dafydd a roddwyd i mi gan y preswylwyr pan roddais y
gorau i fod yn warden Pantycelyn.

Cartŵn gan Tegwyn Jones a roddwyd i mi pan adewais Pantycelyn.

Mam.

Tŷ Mam yn
Nôl-y-bont.

Janet, fi a Conor yng nghartref mam-gu Petra yn Ystum Taf.

Priodas Anna ac Ian yng Ngwesty Marine, Aberystwyth. O'r chwith: Petra, Guto, Beca, Ian, Anna, Janet, fi a Ianto.

Ein plant ym mhriodas Anna.

Beca, Trystan a mi yn swpera yn Nhrelluest.

Fi, Janet, Anna ac Ian
yn swpera.

Llun ohonof ym mwyty
Gannets, Aberystwyth.

Conor yn ei flwyddyn olaf yn Ysgol Gymraeg Melin Gruffydd.

Llywelyn, Iestyn a Mabon, meibion Anna ac Ian.

Elin a Mared, merched Beca a Trystan.

Bisto, ein ci, a Mackenzie, ein cath.

Ein tŷ yn Heol Conwy, Pontcanna.

Fi yn cerdded i lawr y goedlan yn yr ardd yn y Gors.

oedd ei hardal mor brin o'r Gymraeg ag y tybir yn aml. Ceid ym Mryn-mawr ambell un a siaradai dafodiaith Gymraeg gynhenid yr ardal, ac a ddefnyddiai idiomau hyfryd fel: 'Mae'n dwcad y glaw.' Yn ogystal, roedd D. J. Davies, prif economydd Plaid Cymru, a'i wraig, yr Wyddeles ddawnus Noelle French – ill dau'n rhugl yn y Gymraeg – yn byw ym Mhantybeiliau, Gilwern, lle buasent yn ceisio sefydlu ysgol werin ar batrwm y rhai yn Nenmarc.

Roedd pethau wedi bod yn anodd i Janet yn ystod ei hieuenctid; bu farw ei rhieni pan oedd yn ei harddegau cynnar, a phan oedd yn astudio ar gyfer ei Lefel O roedd yn byw mewn tŷ lojin. Cafodd loches yn y pen draw yng Ngilwern gan gyfnither ei mam, yr annwyl Modryb Dora. Roedd Gilwern yn bentref a gyfunai elfennau gorau'r de-ddwyrain gwledig a diwydiannol, ond gwahanol iawn oedd awyrgylch tref farchnad y Fenni. Cofiaf glywed dynes yn Waitrose y Fenni yn dweud (yn Saesneg): 'Rwy'n falch fod siopau fel Tesco ac Asda yn bodoli; maent yn sicrhau nad yw'r werin datws yn dod fan hyn.'

Deuthum i edrych ymlaen at amser swper oherwydd cawn sgwrs gyda Janet. Breuddwydiwn am dreulio gweddill fy oes yn ei chwmni ond roeddwn yn amau a oeddwn yn gymwys i fod yn ŵr priod. Yr oeddwn newydd ddarllen llyfrau Thomas Mann a chofiaf, gydag arswyd, aer teulu Buddenbrooks yn tynnu llinell ddigamsyniol ar draws y tudalen o dan dabl ei achau yn y Beibl teuluol. Soniodd Janet am fynd i rywle arall i ennill cymhwyster yn y byd cyhoeddi pan fyddai wedi gorffen ei thraethawd. Bûm yn ymgodymu â'r pwnc am fisoedd, ond des i'r casgliad fod mentro ar bennod newydd yn fy hanes yn well na'i cholli, ac y byddai unrhyw ansicrwydd yn diflannu trwy briodi. Roedd hi'n dod yn achlysurol i'r Llyfrgell Genedlaethol ac yng Ngheredigion yn 1966, yng ngwesty'r Llew Gwyn yn Nhal-y-bont, cytunodd i'm priodi. Gyda llaw, cefais fy argyhoeddi ganddi nad ei mam a welswn gyda'r plant ysgol yng Nghlydach ganol y 1950au. Gan fod ei mam wedi ymddeol fel athrawes yn 1941, prin y byddai'n hebrwng plant o'r ysgol bymtheg mlynedd yn ddiweddarach.

A minnau â dwy berthynas agos, a hithau ag odid yr un, anodd oedd penderfynu ar ffurf y briodas. Deuthum i'r casgliad mai gwell fyddai peidio gwahodd unrhyw berthynas, a phriodasom ar 24 Mehefin 1966 yn Neuadd y Dref, Abertawe, gyda dau dyst, sef Prys Morgan a Nesta Jones – penderfyniad nad oedd wrth fodd pawb. Wedyn, euthum i gwrdd ag aelodau o'n teuluoedd yng Ngilwern. Gan fod Janet, pan drigai yno, wedi ymserchu'n fawr yng Nghamlas Sir Fynwy ac Aberhonddu, y dewis amlwg ar gyfer mis mêl oedd llogi ysgraff ar gamlas; dewisom gamlas rhwng Nottingham a Loughborough. Aethom ar y noson gyntaf i Chipping Campden ac yno, er cof am fy nracht cyntaf o win, cawsom botel o Bernkastel Doktor; cofiaf iddi gostio wyth swllt ar hugain.

Gan ein bod bob amser ar ddyletswydd, er ein bod ar ein mis mêl, treuliasom oriau yn mynd trwy'r cyfeiriadau at y cyntaf o ardalyddion Bute yng nghasgliad Dug Portland yn llyfrgell Prifysgol Nottingham. Yna, aethom ymlaen i Gaergrawnt, lle buom yn aros gyda Phil ac Ann Williams ac yn chwilota yn llyfrgell y brifysgol yno am y cofiannau a oedd yn crybwyll yr ardalyddion.

Yn fuan wedi i ni ddychwelyd o'n mis mêl, cynhaliwyd isetholiad Caerfyrddin, a hynny ar 14 Gorffennaf 1966 – diwrnod Bastille. Roedd buddugoliaeth Gwynfor yn fater o orfoledd i lawer, er i mi glywed y ddadl fod y fuddugoliaeth wedi creu'r fath adwaith anffafriol ymhlith Aelodau Seneddol Llafur Cymru fel ag i arafu'r symudiad tuag at ddatganoli. Byddai wedi bod yn well, meddai rhai, pe bai'r ymgeisydd Llafur, Gwilym Prys Davies, wedi ennill – buddugoliaeth na fyddai wedi arwain at adwaith anffafriol, ac wedi sicrhau bod gan Gaerfyrddin Aelod Seneddol a oedd yn gadarn ei wladgarwch Cymreig. Ond, fel y tystia hanes Cymru yn ystod gweddill yr ugeinfed ganrif, amhosibl yw damcaniaethu.

Yn y blynyddoedd wedi i ni briodi, bûm yn dra anystyriol o fuddiannau Janet. Roedd ymsefydlu yn Abertawe yn ei hamddifadu o gyfle i gael gyrfa drwy fynd i rywle lle medrai ennill cymwysterau yn y byd llyfrau. Diau, a'i hiechyd yn simsan, mai annoeth oedd sicrhau y byddai'n feichiog cyn canol ei hugeiniau, ac annoethach fyth oedd mynd â hi, a hithau'n feichiog, i deithio yn y Pyreneau ganol gaeaf. Fodd bynnag, honnodd hithau fod y daith honno wedi gwneud lles iddi, gan ei bod bob amser yn teimlo'n well yn y mynyddoedd. Dichon fod hynny'n ganlyniad i'w magwraeth ym Mrynmawr, sydd dros ddeunaw cant o droedfeddi uwchlaw'r môr mewn mannau.

Pan ddychwelais o'r Pyreneau, cefais wahoddiad i ymwneud â rhaglenni radio. Fy ymgais gyntaf oedd cyflwyno *O Bedwar Ban*, rhaglen hanner awr bob dydd Gwener a gynhyrchid gan fy hen gyfaill, Wyre Thomas o Langwyryfon, ar gyfer Gwasanaeth Cartref Cymreig y BBC. Fformiwla syml oedd i'r rhaglen: byddai Cymry Cymraeg o bob rhan o'r byd yn recordio ar gasét rywbeth a oedd wedi'u taro yn eu cynefin. Anfonent y casetiau drwy'r post i Gaerdydd – enghraifft o gyntefigrwydd y cyfryngau cyn y chwyldroadau diweddar – a byddai Wyre'n didoli'r eitemau a minnau'n eu cyflwyno. Yr oedd yn waith pleserus a chawsom aml i eitem ddiddorol, yn enwedig gan Catrin Nagashima yn Siapan. Serch hynny, roedd yn mynd ag amser y dylwn fod yn ei dreulio ar orffen fy nhraethawd ymchwil, a bu'n rhaid i mi roi'r gorau i'r gwaith. Fodd bynnag, enillais yr enw o fod yn ddarlledwr dibynadwy – ffaith a fyddai'n ddefnyddiol nes ymlaen.

Roeddwn wedi gorffen y traethawd erbyn 1968 ac arswyd oedd sylweddoli fy mod wedi llunio thesis o dros gant a hanner o filoedd o eiriau. Doedd Caergrawnt ddim yn barod i dderbyn traethawd ymchwil a oedd yn hwy na phedwar ugain mil o eiriau. Ni fedrwn ddileu paragraffau cyfan yr oeddwn wedi chwysu drostynt, a rhyddhad oedd darganfod nad oedd gan Brifysgol Cymru, ar y pryd, unrhyw gyfyngiad ar nifer y geiriau mewn traethawd ymchwil. Derbyniais radd doethur gan y brifysgol honno a bu'r arholwyr allanol yn frwd dros weld y gwaith yn cael ei gyhoeddi. Lluniais hefyd erthygl ar ddiwedd yr ystadau mawrion yng Nghymru, gwaith a enynnodd ymateb caredig gan yr athrylith annwyl a dysgedig Gwyn Alfred Williams.

Cefais flas ar fyw yn Abertawe; roedd pobl hyfryd yn yr Adran, yn arbennig Ieuan a Maisie Gwynedd Jones. Yn eu cwmni hwy y treuliais y prynhawn pan oedd Janet yn aros i roi genedigaeth yn Ysbyty Treforys. Roeddwn yno adeg yr enedigaeth a chofiaf i'n cyntaf-anedig wincio arnaf wrth ddod allan o'r groth. Hi, a dyfynnu rhan o'r englyn a luniodd Prys Morgan iddi, oedd 'y diamwntyn mantach'. Wedi iddi gael ei geni, cerddais ar hyd prif goridor yr ysbyty yn byrlymu o falchder a chariad, teimladau sydd erioed wedi cilio ynglŷn â'm cyntaf-anedig nac ychwaith yr un o 'mhlant. A Janet a minnau'n Ddaviesiaid, teimlem fod angen lleihau nifer y rheini. Felly, gan fod gan deulu Janet wreiddiau dwfn ym Mrycheiniog, dewisasom y cyfenw Brychan i'r hynaf, Anna Heledd – cyfenw sydd wedi cael ei roi i'r plant i gyd.

Yr oedd pobl hyfryd mewn Adrannau eraill yn y coleg hefyd, ac oherwydd cynllun Tŷ'r Coleg roedd modd cyfarfod â hwy i gyd. Cofiaf sgyrsiau diddorol gyda Gareth Evans o'r Adran Fathemateg a J. Gwyn Griffiths o Adran y Clasuron. Roedd ef a'i wraig, Kate Bosse-Griffiths, yn cynnal ymgomwest yn eu tŷ bob nos Sul ac elwais yn fawr o fynd yno, pe bai dim ond i glywed atgofion Dr Zaremba. Brodor o Wlad Pwyl ydoedd yn wreiddiol, ac fe'i cipiwyd gan y fyddin Sofietaidd ddechrau'r Ail Ryfel Byd. Dihangodd a cherdded i'r India, ac ar y ffordd dringodd ambell fynydd nas dringwyd cyn hynny. Symudodd i Goleg Abertawe ac yno ymuniaethodd yn llwyr â Chymru. Pan fu cerddorfa o Warsaw yn perfformio yn Neuadd y Brangwyn yn Abertawe, mi longyfarchais ef ar gamp ei bobl. 'Cytunaf,' meddai. 'Da yw ein gweld ni'r Cymry mor barod i gymeradwyo'r Pwyliaid.' Ymddeolodd i Aber-ffrwd yn Nyffryn Rheidol, ac yno mae ei fedd.

Yn yr Adran Hanes roedd y sêr. Yr oeddwn yn hoff iawn o nifer o'r darlithwyr a oedd yn hŷn na mi: Ieuan Gwynedd Jones, wrth gwrs, a hefyd Neville Masterman, Muriel Chamberlain ac Elinor Breuning. Mi ddes yn arbennig o werthfawrogol o gymeriad diddorol Peter Stead, person yr wyf bob amser yn hapus iawn i'w gyfarfod. Roedd y gwaith ar hanes Llafur Cymru wedi denu llu o ysgolheigion ifainc, yn eu plith roedd Dai Smith, Merfyn Jones, Aled Jones a Hywel Francis. Roedd bri ar ein haneswyr canoloesol hefyd, yn arbennig Ralph Griffiths, ac roedd defnydd celfydd Glanmor Williams o dystiolaeth lenyddol a phensaernïol yn ei waith ar hanes yr Eglwys yn wefreiddiol. Cefais argraff ffafriol iawn o'r coleg a'r dref – ffordd o boenydio fy mab yng nghyfraith, brodor o Sgeti, yw haeru nad wyf yn hoffi'r lle. Sut allwn i beidio ag ymserchu mewn ardal lle cwrddais â'm gwraig a lle ganwyd fy nghyntaf-anedig?

Ond nid oeddwn am barhau i fyw yng Nghilâ. Fy nelfryd oedd cael tŷ mewn ardal Gymraeg, gyda digon o dir i fod â gardd helaeth. Yn 1968, gwerthais y tŷ yng Nghilâ am ychydig mwy nag y talais amdano. (Gresyn na fyddwn wedi

85

oedi tan fod gwerthwyr tai yn medru ymffrostio ei fod yn yr 'Olchfa Catchment Area' – ffaith a fyddai wedi chwyddo'i bris yn fawr.) Prynasom Ael-y-bryn, tŷ a chanddo ddeg erw o dir yng Nghwrt Henri, ger Dryslwyn yn Nyffryn Tywi. Dyma enghraifft arall o'm tuedd i anwybyddu buddiannau Janet; roedd ei gobaith o gael gyrfa yn llai yng Nghwrt Henri nag yn Abertawe, ac wynebai gyfnodau hir o unigrwydd gan fy mod i'n gyrru i'r coleg bob dydd. Ond dywed ei bod wedi mwynhau aml i agwedd ar fywyd yn Nyffryn Tywi. Hyfryd oedd cael caeau o'n cwmpas ac roedd y plant wrth eu boddau'n chwilio am yr wyau roedd ein hieir yn dodwy yn y cloddiau. Cawsom gwmni hyfryd ein cymdogion – Enid Ralphs a'i gŵr, yr annwyl Cyrnol Ralphs, oedd yn llawn o storïau am gyfnod y rhyfel yng ngogledd Affrica.

Roedd harddwch yr ardal yn syfrdanol. O'n tŷ, medrem weld plasty Cwrt Henri, Castell Dryslwyn, Tŵr Paxton a'r bryn a goronid gan Eglwys y Santes Fair, eglwys ddiddorol sy'n cynnwys copi o fwa gorllewinol eglwys Ystrad-fflur. Roedd rhan gyntaf y siwrne i Abertawe yn hyfryd. Croesai afon Tywi wrth droed Castell Dryslwyn, ac wrth fynd ymlaen i Faes-y-bont âi heibio Golwg-y-byd – man a oedd yn cynnig golygfa odidog o Ddyffryn Tywi. Cefais flas arbennig ar y gwmnïaeth hyfryd yn nhafarn yr Half Way, a manteisiol oedd y dewis eang o fwytai da yn yr ardal. Credwn mai Dyffryn Tywi oedd y lle harddaf yng Nghymru ond byddai Janet bob amser yn canu clodydd Dyffryn Wysg, a rhaid cyfaddef bod yr olygfa o'r dyffryn hwnnw o gladdle ei theulu – mynwent Llanelli – yn odidog. Cofiaf Janet yn sôn am y Llanelli hwnnw, a chyfaill yn dweud na wyddai bod dau Lanelli yng Nghymru. 'Oes', meddai hi. 'Mae'r llall yn dref ddiflas yn Sir Gaerfyrddin.'

Pan symudasom i Gwrt Henri, roedd Janet yn disgwyl ein hail blentyn. Cafodd ofal arbennig gan feddygon Llandeilo, gydag un ohonynt yn dod i'r tŷ bob dydd i roi pigiad o haearn iddi. Ganwyd Beca yn Ysbyty Llanymddyfri. Rhagfynegol oeddem wrth ddewis ei henw – Esyllt Rebeca Brychan – oherwydd ymhen y rhawg daeth yn bartner i Trystan, person hynod hawddgar o Finffordd. Cawsom blentyn arall, Gruffudd Daniel Brychan (Guto) yn 1972, a rhyfeddod i mi oedd derbyn llu o negeseuon yn ein llongyfarch am ein bod wedi cael mab; tybiais fod safbwyntiau o'r fath wedi hen ddarfod. Roedd Guto'n wanllyd pan oedd yn ifanc iawn, ond cryfhaodd yn fawr wedi iddo dderbyn llawdriniaeth i dynnu ei bendics. Erbyn hyn, mae wedi dringo bron pob un o Fryniau Brychan – ei enw ar y mynyddoedd hynny yng Nghymru sydd dros ddwy fil o droedfeddi o uchder. Er bod eu dringwyr yn llai uchelgeisiol na dringwyr y Monroeiaid – y mynyddoedd yn yr Alban sydd dros dair mil o droedfeddi o uchder – mae dringo pob un o Fryniau Brychan yn ymgyrch sy'n werth ei chyflawni.

Bûm yn gweithio'n galed ar dir Ael-y-bryn, gan blannu perllan eang, cynllunio llannerch o goed ceirios a ffurfio teras carreg o flaen y tŷ. Yna, cefais y syniad o ehangu'r tŷ a sicrhau bod ynddo ystafelloedd eang i bob un o'r plant, nifer o faddondai, a fflat i ymwelwyr. Uchelgais gennyf oedd bod yn berchen yr unig dŷ yng Nghymru ac ynddo dri *bidet* dwyieithog. Dechreuwyd ar y gwaith yn 1970 ac o fewn ychydig fisoedd roeddem wedi gwario pob ceiniog a oedd gennym, gan gynnwys y cwbl yr oedd Janet wedi'i etifeddu oddi wrth ei mam. Dyma enghraifft gyda'r gwaethaf o'r ffordd yr wyf wedi diystyru ei buddiannau. Treuliai'r merched a mi bob bore Sadwrn yn Llandeilo Builders a daeth Anna'n hynod wybodus ynglŷn ag uniadau systemau plymio. Rhyw ddiwrnod, meddyliais, bydd hon yn ymserchu mewn peiriannydd dŵr.

Gorffennwyd y gwaith erbyn canol y 1970au, ac mae

rhywbeth atafistig yn ei gynllun, gan fod pawb yn ei weld fel dynwarediad o deras o dai o'r Rhondda.

Ond, a ninnau'n gyfrifol am ad-dalu llog ar log ar log, daethom yn agos at fethdaliad. Llwyddwyd i orffen yr estyniad a gwelir o hyd y llythrennau J a J D ar y garreg uwchben y prif ddrws. Daethom i'r casgliad mai'r dewis gorau oedd gwerthu'r tŷ a chael swydd yn rhywle arall. Deilliai'r awydd am swydd arall o'r ffaith fod dysgu trwy gyfrwng y Gymraeg yn mynd yn gynyddol ymylol yn Abertawe wrth i weithgaredd o'r fath gael ei ganoli fwyfwy yn Aberystwyth a Bangor.

Roedd swydd wedi'i hysbysebu yn Adran Hanes Cymru, Aberystwyth, adran yr oedd yr annwyl Ieuan Gwynedd Jones erbyn hynny'n bennaeth arni. Ceisiais am y swydd ac fe'm penodwyd. Treuliais y flwyddyn 1973/74 yn nhŷ Mam yn Nôl-y-bont a dim ond ar y penwythnosau ac yn ystod y gwyliau y medrwn ymweld â Janet. Dyna'r flwyddyn y ganwyd y pedwerydd o'n plant, Ifan Peredur Brychan (Ianto), yr olaf a chyda'r anwylaf o'n hepil. Amhosibl oedd parhau â'r drefn deuluol oedd gennym, ond daeth achubiaeth. Yr oedd Aberystwyth wedi sefydlu dwy neuadd Cymraeg – un i fyfyrwyr gwrywaidd ac un arall i fyfyrwyr benywaidd. Yn 1974, penderfynwyd dod â'r ddwy garfan at ei gilydd ym Mhantycelyn. Ceisiais am y wardeiniaeth ac fe'i cefais. Camarweiniol fyddai rhoi'r argraff mai dim ond chwilio am gartref teuluol yr oeddwn; gwelwn rinweddau mewn neuadd Gymraeg. Hoffwn feddwl bod y deunaw mlynedd a dreuliais ym Mhantycelyn yn brawf o'm hymlyniad at bwysigrwydd sicrhau cartref lle medrai myfyrwyr elwa o fod mewn sefydliad lle roedd y Gymraeg yn sofran. Symudasom i Bantycelyn ym mis Awst 1974 ac felly dechreuodd pennod gwbl newydd yn ein hanes.

5

Aberystwyth a Phantycelyn
1973–1992

O'I GYMHARU AG Adran Hanes Coleg Abertawe, criw bychan oeddem yn yr Adran Hanes Cymru yn Aberystwyth. Roedd Beverley a Llinos Smith yn gofalu am yr Oesoedd Canol, Brian Howells a Geraint Jenkins am y Gymru Fodern Gynnar, Ieuan Gwynedd Jones am y bedwaredd ganrif ar bymtheg, a minnau am y degawdau wedi hynny. Fy ngwaith academaidd cyntaf yn Aberystwyth oedd paratoi fy nhraethawd ar ystad Bute ar gyfer y wasg. Profais fy ngallu i ladd cannoedd o baragraffau yr oeddwn gynt wedi'u harbed, a thorrais y deunydd i lawr i hyd rhesymol. Cyhoeddwyd *Cardiff and the Marquesses of Bute* gan Wasg Prifysgol Cymru yn 1981; un o brif themâu'r gwaith oedd y cyfoeth a ddaethai i aelodau o deulu Crichton Stuart yn sgil eu perchnogaeth o gyfran helaeth o lo'r Rhondda. Anrhydedd i mi oedd cyflwyno'r gyfrol i'm dau dad-cu, y ddau wedi dioddef yn enbyd yng nglofeydd y Rhondda. Cafodd y llyfr groeso brwd, a chan fod y fersiwn clawr caled bellach ar werth ar Amazon am gannoedd o bunnau, cytunodd y wasg i'w ailgyhoeddi mewn clawr papur yn 2011. Fy ngwaith ar hanes Caerdydd a'm cysylltiadau â'r Rhondda oedd wrth wraidd un o'r anrhydeddau mwyaf a ddaeth i'm rhan, sef dadorchuddio'r telpyn o lo sy'n ganolbwynt yr arddangosfa yng Nghanolfan Ddehongli Castell Caerdydd. Gan fod y Gyfnewidfa Lo bellach mewn perygl, y telpyn glo hwnnw yw'r symbol pwysicaf o'r ffaith i ddinas Caerdydd ddod i fodolaeth o ganlyniad i'r cyfoeth a lifodd yno o gymoedd Taf, Cynon, Rhymni a'r Rhondda. Diddorol yw gweld bod y pwyth yn cael ei dalu'n ôl; bellach, y swyddi sydd ar gael yng Nghaerdydd sy'n achub miloedd o drigolion y cymoedd hynny rhag tlodi difrifol.

Ond cyn cydio o ddifrif mewn gwaith academaidd, yn gyntaf roedd yn rhaid setlo fy nheulu ym Mhantycelyn. Aeth Ianto yno yn fabi newydd ei eni. Ac yntau bellach bron yn ddeugain, chwithig iddo yw clywed gan gyn-drigolion y neuadd eu bod yn ei gofio'n ymlusgo ar hyd coridorau'r lle ar ei ben-ôl. (Mae'n chwithig iddynt hwy hefyd, gan fod ei sylwadau ef yn peri iddynt sylweddoli eu bod hwythau wedi heneiddio.) Aeth Ianto i Brifysgol Sussex (aeth y tri arall i Abertawe). Pan fydd pobl yn edliw iddo ei fod wedi cefnu ar Brifysgol Cymru, mae'n nodi iddo fod yn y brifysgol honno am ddeunaw mlynedd a bod hawl ganddo i gael profiad o rywle arall.

Wn i ddim ai neuadd breswyl i fyfyrwyr yw'r lle gorau i godi plant ifainc. Ceir yno ormod o bobl sy'n denu eu sylw. Naturiol i blant yw dymuno efelychu'r rheini sydd ychydig flynyddoedd yn hŷn na nhw, a chan nad oedd pob myfyriwr yn ymddwyn mewn modd y dymunwn i'n plant ei efelychu, gallai problemau godi. (Wrth i mi baratoi hyn o lith, meddyliais am ysgrifennu at y cyn-fyfyrwyr a fu'n arbennig o annosbarthus, yn addo na fyddwn yn sôn am eu camweddau pe dderbyniwn swm sylweddol o arian ganddynt, ond mi ymatalais.) Ond medrem fod yn hyderus ar un mater, sef y sicrwydd y byddai degau, os nad cannoedd, o bobl yn eu harddegau hwyr yn gofalu am ein plant ni os oeddynt yn crwydro'r dref liw nos. Gwyddem am deuluoedd a drigai yng nghefn gwlad a arswydai pan fynnai eu plant ffawdheglu i mewn i Aberystwyth ar nos Sadwrn. Dyma bryder na chyfranogasom ni ohono.

Aeth y plant i gyd i Ysgol Gymraeg Aberystwyth ac i Ysgol Penweddig. Yr oedd Aberystwyth yng nghanol tiriogaeth hudolus, a chafodd Guto yn arbennig flas ar ei chrwydro. Es i a Janet i Utrecht i brynu *caravanette*, ac ynddo aethom i gyd i Ffrainc, yr Almaen, yr Eidal, Slofenia a'r Swistir. Buom yn ymweld â Heidelberg, lle cynhaliai'r brifysgol garchar ar gyfer myfyrwyr anystywallt. Cofiaf ysgrifennu yn y llyfr ymwelwyr: 'Gresyn nad oes gennym rywbeth fel hyn yn Aberystwyth.'

Ond, mewn gwirionedd, roedd pleserau arbennig yn deillio o fyw yng nghanol myfyrwyr. Roeddwn yn ffodus oherwydd hynawsedd y bobl a oedd, ac a fu, yn gysylltiedig â Phantycelyn. Bu fy rhagflaenydd, Edward Ellis, yn hynod garedig, er nad oedd sefydlu neuadd Gymraeg yn flaenoriaeth iddo. Yn ogystal, cefais gefnogaeth hael gan y prifathro, Goronwy Daniel. Roeddwn yn llawer mwy lwcus na John Llywelyn Williams yn Neuadd John Morris-Jones ym Mangor; ni chafodd unrhyw gymorth gan ei ragflaenydd, a bu'n rhaid iddo ddioddef diffyg cefnogaeth Charles Evans, y prifathro. Bûm yn siarad yn aml gyda John Llywelyn; ni'n dau, wedi'r cwbl, oedd aelodau undeb llafur lleiaf y byd – wardeiniaid neuaddau Cymraeg.

Dynes gadarn oedd Mrs Owen, y bwrsar, a bu hi'n garedig iawn tuag atom; anwylach oedd ei dirprwy, Mair Nixon (*née* Ebenezer), a hyfryd yw nodi bod coeden wedi'i phlannu er cof amdani yng ngardd Pantycelyn. Roedd pawb wrth eu bodd gyda Hywel Jarvis, y porthor nos; brodor o Aberdâr ydoedd, ond trigai yng Nghorris ac roedd ei garedigrwydd tuag at bob un o drigolion y neuadd yn ddiarhebol. Bûm yn hynod lwcus gydag ysgrifenyddesau'r neuadd: Tegwen

Michael o Genarth i ddechrau (hyfryd oedd ei Dyfeteg), yna Linda Healy (Plethyn), ac yn fy mlynyddoedd olaf y ddynes gadarn a ddeallus honno, Dilys Jones. Roedd ambell un o weithwyr y neuadd yn cyfranogi o'r taeogrwydd sydd i fod i nodweddu'r Cymry Cymraeg. Cefais sgwrs gyda dynes a fu'n gweithio ym Mhantycelyn cyn iddi ddod yn neuadd Gymraeg ac yn ystod y cyfnod pan oedd yn neuadd Gymraeg. 'Roedd y Saeson,' meddai, 'yn *real gentlemen*. Rydym yn gweini nawr ar bobl sydd ddim gwell na ni.'

Roedd gennyf wardeiniaid cynorthwyol, a'r un a werthfawrogwn fwyaf yn fy mlynyddoedd cynnar oedd Wyn James, gŵr o Droed-y-rhiw a chanddo wreiddiau teuluol yn Llanddewibrefi. Ni feddyliais erioed y byddwn yn twymo at efengylwr ond mi dwymais ato ef ac at ei wraig, Christine, sydd erbyn hyn yn Archdderwydd Gorsedd y Beirdd. Mantais enfawr oedd cael warden cynorthwyol fel Wyn, a oedd yn dal, yn gryf a phob amser yn gwbl sobor.

I nifer yn Aberystwyth, roedd Pantycelyn yn gadarnle hilyddiaeth, yn gartref i bobl a gredai mai dim ond y rheini a oedd o waed pur y Celtiaid a hen achau Cymreig oedd â'r hawl i alw'u hunain yn Gymry ac i drigo yn y neuadd. Ni theimlais erioed fod sylwedd i'r fath honiadau. Credwn nad neuadd i siaradwyr cynhenid y Gymraeg oedd Pantycelyn yn bennaf; yn hytrach, dylai fod yn drigfan i'r rheini a oedd eisiau cael blas ar fywyd yn Gymraeg. Roedd hynny, wrth gwrs, yn golygu bod angen cael digon o breswylwyr Cymraeg i sicrhau bod y seiliau'n gadarn. Dyma safbwynt a gafodd gefnogaeth bendant y cyntaf o lywyddion y neuadd yn fy nghyfnod i yno – y goleuedig Tweli Griffiths. O ganlyniad, roeddwn yn frwd dros ddenu dysgwyr y Gymraeg o ardaloedd Saesneg Cymru, polisi a oedd yn ganolog i weledigaeth Jac L. Williams ynglŷn â Phantycelyn. Yn fy mlynyddoedd cynnar, hyfryd oedd gweld Jim O'Rourke o Hwlffordd (Prif

Weithredwr yr Urdd yn nes ymlaen) a Christopher Meredith o Dredegyr (awdur toreithiog yn Saesneg a chyfrannwr sylweddol i lenyddiaeth Gymraeg) yn dod yn rhugl yn y Gymraeg. Mi ddes yn arbennig o werthfawrogol o griw o fyfyrwyr o Nelson, ger Caerffili, a hyfryd oedd ymweld yn 2013 ag un ohonynt – Derek Stockley (tad Aneirin Karadog) yn ei gartref glan môr yn Llydaw. Dymunol iawn oedd denu myfyrwyr o Ogledd America, Ffrainc, yr Almaen, Malaya a Nigeria. Fe'm hanrhydeddwyd am flynyddoedd â charden Nadolig oddi wrth gyn-breswyliwr o Nigeria, a ddywedodd mai ei flynyddoedd ym Mhantycelyn oedd cyfnod hyfrytaf ei fywyd.

Yr oedd si fy mod yn ffafrio myfyrwyr di-Gymraeg a bod dod o'r Rhondda yn gwella eich cyfle i gael ystafell sengl. Ystafelloedd dwbl oedd fy mhroblem fwyaf trafferthus ym Mhantycelyn a des i'r casgliad fod llinellau o un o sonedau Wordsworth yn gwbl gamarweiniol:

> Nuns fret not at their convent's narrow room;
> And hermits are contented with their cells;
> And students with their pensive citadels.

Deuai cyfran helaeth o gyn-breswylwyr y neuadd yn ôl ar ymweliad yn aml. O ganlyniad, deuthum i'r casgliad fod sylwedd i awgrym Douglas Adams yn ei gyfrol *The Meaning of Liff* mai'r gair Aberystwyth yw'r term gorau am 'hiraeth am le sy'n medru bod yn emosiwn mwy pleserus na'r profiad o drigo ynddo'.

Roedd gennyf f'amheuon ynglŷn â rhai agweddau o fywyd y coleg a'r dref. Bodolai hierarchaeth gref yn y coleg, a chofiaf wragedd rhai o'r Athrawon yn dweud: 'Wives of junior lecturers should sit over there', ac ymhlith llawer o Gymry Cymraeg Aberystwyth roedd drwgdybiaeth o siaradwyr yr iaith nad oedd yn mynd i'r capel. Cefais yr argraff fod llawer o drigolion y dref yn dirmygu'r coleg a'r myfyrwyr, er i mi awgrymu'n aml y byddai Aberystwyth, pe bai'n amddifad o'r coleg a'r sefydliadau sy'n gysylltiedig ag ef, yn llai diddorol yn y gaeaf na'r Bermo – ac anodd yw meddwl am dynged waeth na honno.

Ychydig o'r darlithwyr a oedd yn ceisio dod yn gyfeillion â'r myfyrwyr, ond teimlwn mai dyna'n union y dylwn ei wneud. Gwahoddwn bedwar o drigolion y neuadd i gael swper gyda mi bob nos, a chan y byddwn yn siarad yn bennaf am gynefin fy ngwesteion, datblygodd y gred fod gennyf wybodaeth helaeth o bob rhan o Gymru. Cred ddi-sail ydoedd; y gwir amdani oedd fod gennyf fwy o ddiddordeb mewn lleoedd nag mewn pobl. Wrth i mi sylweddoli bod y cyd-swpera yn fy amddifadu o unrhyw gysylltiad â 'mhlant ar wahân i'r penwythnos, rhoddais y gorau i'r arfer.

Yn lle'r cyd-swpera, byddwn yn siarad â myfyrwyr dros y te roeddem yn ei drefnu yn yr ystafell gyffredin am ddeg y nos. Bu Gwynfor Evans yn fy nghwmni ar un noson o'r fath ac roedd wedi'i blesio'n fawr o fod yn dyst i fyfyrwyr yn yfed te a chwarae gwyddbwyll cyn mynd i glwydo. Awn weithiau i siarad â myfyrwyr yn nhafarndai'r dref, ac mi ddes yn ffigwr amlwg yn y Blingwyr (y Skinners), y Llew Du a'r Cŵps, gan beri i'r dysgedig Richard Wyn Jones (gweler *Rhoi Cymru'n Gyntaf*, t.xvi) haeru fy mod yn cynnal seminarau hanesyddol dros gwrw. Fe'm holwyd yn aml am arferion yfed y myfyrwyr, a byddwn bob amser yn dyfynnu sylwadau Anna, a oedd wedi treulio tair blynedd yn yr Almaen (yn Essen, Emden, Kiel a Mannheim). Yr oedd hi o'r farn fod myfyrwyr yr Almaen yn gymaint o lymeitwyr ag yr oedd myfyrwyr Aberystwyth, ond y gwahaniaeth mawr oedd fod myfyrwyr Almaenig yn dechrau ar eu llymeitian drwy gael pryd o fwyd. 'Gwendid ein trefn ni,' dadleuwn, 'yw'r ysgariad rhwng y weithred o fwyta a'r weithred o yfed, canlyniad trist y Mudiad Dirwest' – sylw nad enillodd gymeradwyaeth Piwritaniaid Aberystwyth. Mae gan R. T. Jenkins sylwadau bachog am fwytai dirwestol, ac mewn gwesty dirwestol y sefydlwyd Plaid Cymru. Pwy, meddyliais, a lwyddodd i ddenu Saunders Lewis i mewn i adeilad lle na fedrai gael gwydraid o win?

Ein cyfnod ym Mhantycelyn oedd anterth ymgyrchoedd Cymdeithas yr Iaith ar faterion arwyddion ffyrdd a gwasanaeth teledu. Y cyfnod mwyaf gofidus oedd hwnnw a ddechreuodd gyda datganiad Gwynfor Evans ym mis Mai 1980 y byddai'n ymprydio hyd at farw os na fyddai'r llywodraeth yn ildio ar fater S4C. Pe byddai'n rhaid iddo wireddu ei fwriad, roeddwn yn bur sicr pwy fyddai ar flaen y gad. Yr oeddwn wedi clywed rhai o fyfyrwyr Pantycelyn yn trafod eu cynlluniau ac roedd rhai ohonynt yn weddol eithafol. Rhyddhad aruthrol i mi oedd llwyddiant y 'tri gŵr doeth' i berswadio'r llywodraeth i lynu at ei pholisi gwreiddiol a chlywed ym mis Medi 1980 fod Gwynfor Evans yn rhoi'r gorau i'w ympryd.

Ni welais unrhyw dystiolaeth fod eithafwyr ieithyddol yn gorfodi myfyrwyr eraill i brotestio, ond hoffai gelynion y neuadd gredu hynny. Byddwn weithiau'n derbyn galwad ffôn gan rywun a honnai fod cannoedd o bobl am weld Pantycelyn yn cau. 'Rhowch i mi ddeg enw' oedd fy ateb bob tro, a gorffen yn ebrwydd a wnâi'r sgwrs. Byddai aml i fyfyriwr yn tynnu arwydd i lawr neu'n dringo mast ganol nos. Weithiau, caent eu dal gan yr heddlu a byddai'r rheini'n galw yn y neuadd. Ofnai'r protestwyr y byddai'r heddlu'n plannu tystiolaeth yn eu herbyn ac felly disgwylient i mi fod yn bresennol yn eu hystafelloedd hyd nes byddai'r ymchwiliad swyddogol wedi dod i ben. Dyna a wnawn ac o'r herwydd fe fedrwn i ac aelodau eraill o'm teulu dreulio noson gyfan heb gwsg. Gallai pethau eraill hefyd amharu ar ein cyfle i gael noson o gwsg. Byddai nifer o drigolion yn colli allweddi eu hystafelloedd; galwent i fenthyg fy mhrif-allwedd, ond ni fedrwn fenthyg honno rhag ofn fod gan y galwr rywbeth mwy ysgeler mewn golwg. Rhaid felly oedd mynd gyda'r benthyciwr a sicrhau fy mod yn cael yr allwedd yn ôl. Dyma dasg a fedrai ddwyn awr a mwy o gwsg. Gwaeth oedd y twyllwyr a hoffai chwarae â'r gloch dân, gan fod hynny'n medru golygu noson gyfan heb gysur gwely. Roedd gan David Jenkins gopi o lun Hieronymus Bosch o uffern; oddi tano roedd wedi ysgrifennu, 'O, nid y gloch tân.'

Ni fyddwn wedi medru ymgodymu â'r materion hyn heb gymorth fy wardeiniaid cynorthwyol. Anodd, yn wir, yw eu gorganmol. A hwythau at ei gilydd yn fyfyrwyr ymchwil, yr oedd ganddynt gymwysterau academaidd uchel ac efallai, oherwydd hynny, eu bod yn fwy gwybodus a deallus na thrwch y myfyrwyr. Melys yw cofio ein sgyrsiau. Rwyf eisoes wedi crybwyll Wyn James; ymhlith y rhai a ddaeth ar ei ôl oedd yr arbenigwr ar lenyddiaeth yr Oesoedd Canol, Eurig Davies, y curaduron Dafydd Roberts a David Jenkins, y daearyddwr Dai Rogers, y cerddor disglair Lyn Davies, a'i frawd, yr hanesydd blaengar Russell, y cerddor a'r athro Alun Llwyd, John Rees Thomas, sydd nawr â rôl allweddol ym mywyd diwylliannol Ynys Môn, y cwpwl galluog Dylan a Glenda Jones, y geiriadurwr dysgedig Patrick Donovan, yr adroddreg Siân Teifi, yr annwyl Arwel 'Rocet' Jones a'r ysgolhaig diddorol Ceridwen Lloyd Morgan.

Drwy ddefnyddio'u cyfeiriadau, darganfyddais o ble roedd ein preswylwyr yn hanu, sef: 25% o Ddyfed, 25% o Forgannwg, 20% o Wynedd, 20% o weddill Cymru a 10% o'r tu allan i Gymru – patrwm a oedd yn hynod debyg i'r patrwm a fodolai ymhlith myfyrwyr y coleg yn ei flynyddoedd cynnar. Yn arbennig ar ôl sefydlu Ysgol Ystalyfera, deuai'r clwstwr mwyaf o blwyf Llan-giwg, sef y fro rhwng Pontardawe a

Phontarddulais. Ac yntau'n frodor o Lan-giwg, cafodd y newyddion hyn groeso brwd gan y prifathro, Goronwy Daniel. Tueddid i ystyried mai cynnyrch yr ysgolion uwchradd Cymraeg oedd trwch protestwyr y mudiad iaith, ond cefais yr argraff mai fel arall yn hollol yr oedd y sefyllfa. Yn wir, ym mlynyddoedd cynnar pwyllgor gwaith Cymdeithas yr Iaith Gymraeg, roedd bron pawb, heblaw Cynog Dafis a mi, yn gyn-ddisgyblion ysgolion bonedd.

Ond, o ba le bynnag yr hanai'r myfyrwyr ac ym mha le bynnag y cawsant eu haddysg, roedd llawer ohonynt yn bobl arbennig o alluog. Yn eu plith roedd yr actores Rhian Morgan, y barnwr Niclas Parry, llu o lenorion, gan gynnwys Siôn Eirian, Wiliam Owen Roberts a Bethan Gwanas, yr hyrwyddwr iaith Marc Jones, a'r haneswyr Siân Rhiannon, John Graham Jones, Russell Davies a Paul O'Leary. (Yr oeddwn wrth fy modd mai Paul a'm holynodd yn fy swydd yn Aberystwyth.) Megis dechrau mae'r rhestr hon o gyn-drigolion Pantycelyn sydd wedi gwneud eu marc.

Yr oedd canu poblogaidd Cymru yn dra dyledus i grwpiau a sefydlwyd ym Mhantycelyn a bu côr cerdd dant y neuadd yn gyfrifol am chwyldroi'r gelfyddyd honno, dan arweiniad dawnus Gareth Mitford Davies ac yn ddiweddarach Bethan Bryn. Cofiaf i wraig yn Llanuwchllyn wado fy nghoesau ag ymbarél gan ei bod yn credu mai fi oedd yn gyfrifol am ddinistrio hen draddodiadau cerdd dant.

Byddwn yn aml yn trefnu parti i ddathlu'r ffaith mai trigolion a chyn-drigolion Pantycelyn a oedd wedi ennill pob gwobr sylweddol mewn eisteddfod bwysig yng Nghymru. Daeth ambell un yn amlwg yn y byd gwleidyddol, yn eu mysg bump a etholwyd i'r Cynulliad Cenedlaethol, sef Carwyn Jones, Helen Mary Jones, Rhodri Glyn Thomas, Llŷr Gruffydd ac Alun Davies.

Y maes lle na fentrodd fawr neb iddo oedd y weinidogaeth.

O gofio niferoedd y gweinidogion a hyfforddwyd yng Ngholeg Aberystwyth yn ei flynyddoedd cynnar, mae'n rhyfedd mai dim ond tua un o'r tair mil a mwy o bobl a fu'n byw ym Mhantycelyn yn fy amser i a ddaeth yn weinidog capel. Aeth tri yn offeiriaid yn yr Eglwys yng Nghymru ac ymaelododd un gydag urdd Gatholig lymdost. Fodd bynnag, ble bynnag yr awn yng Nghymru ddiwedd y 1970au, roedd hi'n anochel y byddwn yn cyfarfod â chyn-breswylwyr. Sylw cyntaf Ellis Owen pan es i swyddfeydd HTV oedd: 'Wedi dod i gwrdd â'r cyn-fyfyrwyr?' Mae criw ohonynt wedi sefydlu yng Nghaernarfon, a phan af i dafarn y Bachgen Du derbyniaf lu o wahoddiadau i gael fy ngwala o gwrw Mws Piws. Bûm yn dyfalu beth oedd tynged myfyrwyr Cymraeg eu hiaith o Fangor, Abertawe a Chaerdydd; roedd hi'n amlwg nad oeddynt yn cael swyddi arwyddocaol yng Nghymru.

Bu cryn drafod yn y 1970au am y posibilrwydd o sefydlu Coleg Cymraeg. Hyrwyddwr mwyaf grymus y syniad oedd Alwyn D. Rees, pennaeth yr Adran Allanol a'r disgleiriaf o ddehonglwyr y Gymru wledig. Roedd ef o blaid canoli darlithio trwy'r Gymraeg yn yr hen goleg 'ger y lli' ac yn hwnnw, neu yn ei gyffiniau, yr arhosodd ei adran ef ac adrannau Addysg a'r Gymraeg – adrannau Cymreiciaf y coleg. Ceisiwyd sicrhau mai yno hefyd y cynhelid darlithiau cyfrwng Cymraeg Adran Hanes Cymru, syniad na chafodd fawr o gefnogaeth gan y myfyrwyr gan fod y mwyafrif llethol ohonynt yn byw ar y bryn ym Mhantycelyn. Yr oeddwn i wedi sylwi bod colegau hen brifysgolion Lloegr, ac eraill o'r gwledydd a chanddynt golegau canoloesol, wedi datblygu o breswylfeydd myfyrwyr. 'Pam na ellid addasu'r syniad hwn ar gyfer y cynllun o sefydlu Coleg Cymraeg?' gofynnais, gan ddadlau y byddai Pantycelyn yn berffaith fel cnewyllyn Coleg Cymraeg. Gellid cynnal seminarau a darlithiau yn ystafelloedd y llawr gwaelod ac roedd man hyfryd yn y neuadd i fod yn Ystafell Gyffredin Hŷn. (Yn ôl Saunders Lewis, yr Ystafell Gyffredin Hŷn yw man cychwyn llwyddiant pob sefydliad addysg uwch.) Gan fod Pantycelyn yn hwylus ar gyfer ymweliadau â'r Llyfrgell Genedlaethol, labordai'r coleg, y theatr a'r Neuadd Fawr, fe fyddai Coleg Cymraeg yno yng nghanol gweithgaredd Coleg Prifysgol Cymru (enw'r sefydliad hwnnw ar y pryd), yn hytrach na bod yn ynysig ar ei chyrion. Gan fod trwch staff y coleg yn llugoer eu cefnogaeth, a dweud y lleiaf, a'r hyrwyddwr mwyaf brwd am ddatblygu cynllun arall, ni ddaeth dim o'r syniad – colled enbyd, yn fy marn i. Fodd bynnag, mae cyhoeddiad a wnaed ym mis Ebrill 2014 yn awgrymu y bydd y pwnc yn cael ei ystyried ymhellach.

Yr oeddwn yn ymwybodol erbyn y 1980au nad oedd y myfyrwyr, fel corff, yr un fath ag yr arferent fod. Priodolwn y newid i ddau ddatblygiad yn arbennig: perchnogaeth ceir a dyfodiad gwres canolog. Yn 1974 roedd y rhan fwyaf o'r myfyrwyr yn dod i'r coleg â'r cwbl o'u heiddo mewn cês neu mewn sach deithio. Yr eithriad amlwg oedd merch a ddaeth i'r neuadd gyda dau gorfilgi (*whippet*). Gan fod ei chymdogion yn mynd yn droednoeth i'r baddondy, roedd y posibilrwydd y byddai'r corfilgwn yn gwneud eu busnes yn y coridor yn peri i'r cŵn fod yn amhoblogaidd. Mynnais eu bod yn gadael ond credai eu perchennog fy mod yn anghyson yn fy agwedd at greaduriaid yn y neuadd. 'Mae pysgodyn aur gan Tweli Griffiths,' meddai, ac ni chafodd ei hargyhoeddi bod gwahaniaeth sylweddol rhwng pysgodyn aur a dau gorfilgi.

Ddegawd yn ddiweddarach roedd y trigolion yn dod i'r neuadd yng ngheir eu rhieni, a chistiau'r ceir yn llawn o'u heiddo. Roedd yr eiddo wedi cael ei gasglu yn eu hystafelloedd gwely, a oedd yn gynnes oherwydd dyfodiad gwres canolog. Diflannu a wnaeth y syniad fod holl aelodau'r teulu yn eistedd gyda'i gilydd o flaen unig dân y tŷ. Yn eu hystafelloedd cynnes medrai pobl ifainc gasglu pob math o drugareddau: tegell a radio i ddechrau, yna teledu, cyfrifiadur, peiriant casetiau a thelyn. Bu'n rhaid clustnodi ystafell sbâr ar gyfer y telynau, a chofiaf drefnu i weinidog a oedd wedi dod i ymweld ag un o'i blant gysgu ynddi ar glustogau. Pan ddihunodd a darganfod telynau aur o'i gwmpas ym mhobman, daeth i'r casgliad ei fod wedi marw ac wedi cyrraedd y nefoedd!

Y gwrthrych mwyaf a gludwyd gan fyfyriwr i ystafell ym Mhantycelyn oedd peiriant brownio, a hwnnw rywfaint mwy na choffin. Pan brotestiais, cefais yr ateb nad oedd rheol yn erbyn dod â'r fath beiriannau; lluniais restr hir o reolau ond amhosibl oedd trechu dyfeisgarwch ein preswylwyr. Canlyniad bod ag ystafell yn llawn geriach oedd diffyg awydd i'w gadael. Ni ddeuai odid neb i yfed te cyn noswylio, a rhoddasom y gorau i'w gyflenwi. A hwythau â setiau teledu personol yn eu hystafelloedd, ychydig a ddeuai i wylio'r teledu yn yr ystafell gyffredin. Yn wir, pe bai sefyllfa'r wythdegau wedi bodoli yn y chwedegau, mae'n amheus a fyddai neuaddau Cymraeg wedi'u sefydlu, oherwydd yr anghydfod ynglŷn â pha raglen a ddylai ymddangos ar unig deledu'r neuadd a roes gychwyn i'r ymgyrch i sicrhau'r fath neuaddau. Teimlwn weithiau fod y trai ar gydgyfarfod yn ganlyniad i ymlediad Thatcheriaeth, a bod gwenwyn y Prif Weinidog yn effeithio hyd yn oed ar wladgarwyr Cymreig radicalaidd Pantycelyn.

Mae Pantycelyn yn adeilad urddasol ac fe'i cwblhawyd yn 1960 yn unol â chynlluniau Percy Thomas – addasiad, o bosibl, o'i gynllun ar gyfer Neuadd y Sir yng Nghaerfyrddin. Yr achlysur a gofiaf orau yno oedd ymweliad Dug Caeredin a Thywysog Cymru, pan oedd y cyntaf yn ildio swydd

Canghellor Prifysgol Cymru i'r ail. Roedd honno'n drefn a wnaed yn llechwraidd gan uchel swyddogion y brifysgol, a chymaint dig y myfyrwyr fel eu bod wedi enwebu Dai Francis i sefyll yn erbyn Charles. Roedd yn rhaid cael enwebiadau gan nifer o aelodau Llys y Brifysgol, a phan ofynnais i Cassie Davies lofnodi'r ffurflen, syndod iddi oedd ein bod wedi dewis rhywun mor wleidyddol. 'Pam na ofynsoch i Gwynfor Evans?' meddai – ffigwr nad oedd yn ei barn hi yn wleidyddol o gwbl. Fodd bynnag, fe gytunodd Cassie i lofnodi'r ffurflen.

Achlysur gogleisiol oedd ymweliad y ddau dywysog â Phantycelyn, gyda rhai'n cylchdroi un ffordd o gwmpas yr ystafell yn y gobaith o gael gair ag un o'r tywysogion, ac eraill yn cylchdroi'r ffordd arall er mwyn osgoi gwneud hynny. Bu'r bleidlais i ethol canghellor yng Nghaerdydd ond ni ddatgelwyd mohoni – ffaith sy'n awgrymu bod y tywysog wedi cael llai o bleidleisiau nag y deisyfai'r sefydliad Cymreig. Yr ymweliad tywysogaidd oedd yr unig achlysur a gofiaf pan oedd awdurdodau'r coleg yn frwd i wario arian ar Bantycelyn; o ganlyniad, aeth y lle braidd yn ddi-raen wrth i'r blynyddoedd fynd heibio. Gan i'r coleg fynnu bod trigolion y neuaddau'n talu am eu prydau ar wahân, ceid cwynion ynglŷn â phrinder ceginau personol. Roedd cred fod taliadau ymwelwyr yr haf yn anhepgor i lwyddiant ariannol mannau fel Pantycelyn, ac felly cynyddodd y galwad am faddondai *en suite*. Cododd y syniad nad oedd yr adeilad yn addas fel neuadd breswyl a bu sôn am ei gau ac ail-leoli ei phreswylwyr. Fodd bynnag, trawiadol yw teyrngarwch ei thrigolion i'r neuadd a dymunol yw gweld bod awdurdodau'r coleg yn closio at safbwynt y preswylwyr.

Bûm yn ymwneud â llu o bethau eraill yn y saithdegau a'r wythdegau. Cefais gyfle i deithio, a phleser arbennig oedd mynd ag Ianto i Emden a gyrru i Kiel er mwyn mynd ag Anna drwy'r Almaen i Hwngari, Slofenia a'r Eidal. Yr oeddwn eisoes wedi bod yn Hwngari, yr unig wlad yn Ewrop, bron, lle mae pobl yn gwybod am Gymru. Mae hynny'n deillio o'r ormes a ddioddefodd pobl Hwngari dan law Ymerodraeth Awstria ganol y bedwaredd ganrif ar bymtheg. Daeth yr ymerawdwr i Budapest, a disgwyliwyd i'r beirdd Magyar ganu ei glodydd. Fodd bynnag, dewisodd y bardd János Arany ysgrifennu *A Walesi Bárdok* (Beirdd Cymru), cerdd sy'n seiliedig ar y chwedl fod Edward I wedi llofruddio llu o feirdd Cymru oherwydd eu hawydd i amddiffyn hawliau a thraddodiadau eu pobl. Pan ymwelais â chanolfan groeso a dweud fy mod yn dod o Gymru, dechreuodd pawb oedd yno lefaru *A Walesi Bárdok*. Edrychodd y ddynes yn y swyddfa ar fy mhasbort a gweld ei fod yn rhestru pedwar o blant bach a dim gwraig. (Roedd pasbort ei hunan gan Janet.) Penderfynodd fy mod yn ŵr gweddw a chynnig fy mhriodi, nid oherwydd ei bod wedi cymryd ataf ond oherwydd ei bod am ddod i Gymru i weld ble roedd Edward I wedi lladd y beirdd. A bellach, mae cynllun ar droed i sefydlu Gorsedd y Beirdd yn Hwngari.

Bu Anna a mi hefyd ar ymweliad â Malta a chawsom sgwrs ddiddorol gyda brodor oedd yn berchen bwyty yn Valetta. Roedd am i ni ei longyfarch oherwydd iddo drefnu mai'r Saesneg fyddai iaith ei deulu.

'Sut y bydd eich plant yn dysgu Malti?' gofynnais.

'Bydd modd iddynt ddysgu'r iaith ar y stryd,' oedd yr ateb.

'Ond os ydyw pawb yn dilyn eich esiampl chi,' ymhelaethais, 'fydd dim plant ar y stryd sy'n medru ei siarad.'

Ysgydwodd ei ysgwyddau a dweud, 'So what!' Yr oedd y Saesneg yn lledu'n gyflym yn Malta, er mai'r unig eiriau

Saesneg a oedd gan gyfran helaeth o'r trigolion oedd: 'No problem.'

Yn 1980, mi es yng nghwmni Wyre Thomas i Balesteina. Roedd hedfan i Athen yn gymaint o brofiad o fod mewn awyren ag y gallwn ei ddioddef. Felly, aethom o Athen i Haifa mewn cwch; yna, teithio i Cairo, taith a olygai ffawdheglu trwy Anialwch Sinai a hwylio ar draws Camlas Suez. O Alexandria, aethom mewn llong i Fenis, lle cawsom drên gartref. Cyrhaeddais Fenis ar ddiwrnod fy mhen-blwydd, sef 25 Ebrill, a meddyliais mai fy nghroesawu i roedd y bandiau ger y dociau; ond sylweddolais yn fuan mai dathlu diwrnod Sant Marc yr oeddynt. Ym Mhalesteina cawsom aml i brofiad a sgwrs ddiddorol. Cofiaf siarad ag Americanes yng ngwesty'r Brenin Dafydd yn Jerwsalem.

'Rwy'n deall eich bod yn teithio yn y wlad hon,' meddai. 'Ddylech chi fynd i Galilea; mae llyn hyfryd yno.'

'Roedd rhan helaeth o'm haddysg gynnar yn ymwneud â'r llyn hwnnw,' meddwn i.

'Rydych chi wedi clywed amdano fe, odych chi?' oedd ei hateb.

Dywedais wrth weinydd yn Jopa fy mod yn dod o Gymru. 'Mi wn am y wlad honno,' meddai. 'Dyna'r lle maent yn cuddio arwyddion ffyrdd â phaent gwyrdd.' Cawsom y profiad mwyaf brawychus ar y ffin â Libanus. Yno, cyflwynwyd ni i'r Uwch-gapten Haddad, a fu'n gwneud pethau ysgeler yn ei gynefin. Meddyliodd Wyre mai diddorol fyddai tynnu llun ohonof yn siarad â Haddad. Aeth i'w boced i estyn ei gamera; symudodd Haddad yn gyflymach ac o fewn chwinciad roedd ei rifolfer ger pen Wyre. Diolch byth, datryswyd y sefyllfa.

Taith arall y cefais flas arni oedd fy ymweliad â Berlin pan oedd y mur yn elfen dra-arglwyddiaethol yn y ddinas. Rhaid oedd treulio'r nos i'r gorllewin o'r mur ond roedd trwch y mannau diddorol ar yr ochr ddwyreiniol iddo.

Euthum i'r Dwyrain gydag Americanwr a oedd yn ofni mynd i'r Ymerodraeth Enbyd ar ei ben ei hun. 'Byddwn yn llwgu,' meddai. 'Mae pawb yn gwybod nad oes mannau bwyta yno.' Ond cawsom swper hyfryd yn y Rotes Rathaus, a gogleisiol oedd gweld bod y pris yn cael ei haneru i'r rheini a oedd yn talu â cherdyn credyd gorllewinol. Euthum yno eto, a chyffrous oedd y defodau a gynhelid cyn y caniateid mynediad: y llun (*ohne brille* – heb sbectol), union amser yr ymweliad, llofnod i gadarnhau rhif pasbort ac ati.

Roedd amgueddfeydd Berlin yn rhyfeddol ac roeddwn yn arbennig o hoff o Amgueddfa Pergamon, casgliad o olion cyffrous a gludwyd i'r Almaen o'r Dwyrain Agos. Diddorol hefyd oedd gweld cyfrolau o areithiau Brezhnev yn cael eu dystio mewn ffenestr siop y drws nesaf i swyddfeydd enfawr yr Undeb Sofiet ar yr Unter den Linden. Ar fy ail ymweliad â Dwyrain Berlin, roeddwn yn hwyr yn dychwelyd at y ffin ac ofnwn y byddwn yn troi'n bwmpen pe byddwn yn dal yn y Dwyrain am hanner nos. Dechreuais sgwrsio gyda Gwyddel, a munud cyn i ni fynd trwy'r ffin, penderfynodd biso. Gan fod y gwarchodwyr yn meddwl ein bod gyda'n gilydd, cafodd y ddau ohonom ein harestio. Roedd ganddo ef lythyr a brofai fod ei ewythr yn gweithio i'r gwasanaeth tramor ac fe'n rhyddhawyd yn syth.

Bûm 'nôl yn Berlin eto, a'r tro hwnnw euthum i Wlad Pwyl hefyd, gan ymweld â chanolfan bererindota Czestochowa. Roedd pawb yno'n cropian tuag at yr allor, a rhyfeddod oedd gweld hen wraig yn tynnu waledi o bocedi cefn y gwŷr ifainc o'i blaen. Gan fod yr awyrgylch mor ormesol o dduwiol, ddywedodd neb 'run gair. Dychwelais i Berlin ac yna ymlaen i Dresden, lle gwelais berfformiad o *Parsifal* yn y tŷ opera trawiadol yno. Arhosais dros nos yn Dresden, achos lletchwithdod mawr pan ddychwelais i Berlin. Roedd gan y gwarchodwyr nodiadau ynglŷn â'm hymweliad blaenorol

– roedd swyddogion Dwyrain yr Almaen yn hoff o gadw cofnodion – ond ymddengys eu bod yn ddigon balch o gael gwared ohonof.

Pan gyrhaeddais yn ôl i Aberystwyth, bûm yn weithgar gyda Phlaid Cymru, a bu bron i mi ennill sedd ar Gyngor Dyfed; roedd sefyll yn weithred gwbl ffôl gan fod gennyf bedair swydd yn barod. Y pleser mwyaf a gefais wrth weithio i Blaid Cymru oedd paratoi casgliad o erthyglau Phil Williams i'r wasg. Ond darlithio ac ymchwilio oedd fy mhrif ddyletswyddau. Sefydlais gwrs ar gysylltiadau Iwerddon a'r Alban â'r drefn Brydeinig. Roedd nifer o fyfyrwyr o Iwerddon yn Aberystwyth ar y pryd; bu rhai ohonynt gyda ni ym Mhantycelyn ac yr oedd nifer ohonynt wedi'u hudo gan ein llwyddiant i gynnal y Gymraeg. Bûm yn yr Ŵyl Ban Geltaidd yn Killarney ar sawl achlysur. Cofiaf eistedd yno'n siarad â chyfaill o Dal-y-bont; daeth Gwyddel atom a gofyn a fydden ni'n siarad Cymraeg gyda'n gilydd hyd yn oed os nad oedd neb yno i wrando arnom. Yn Aberystwyth, gofynnais i un o'r myfyrwyr o Ogledd Iwerddon i ba garfan y perthynai iddi; ei ateb ef oedd: 'Deuthum i Aberystwyth i osgoi cwestiynau fel yna.' Hyfryd oedd derbyn cardiau post oddi wrth fyfyrwyr a oedd yn crwydro'r Alban gan fod fy narlithiau wedi'u hysbrydoli i fynd yno.

Cyhoeddwyd erthyglau gennyf ar y gydwybod gymdeithasol yng Nghymru ac ar feddylfryd arweinwyr Plaid Cymru, ond y gwahoddiad academaidd mwyaf cyffrous oedd hwnnw a gefais ar 16 Hydref 1978. Galwad ydoedd oddi wrth fy hen gyfaill Harri Pritchard Jones. (Dywedodd Harri wrthyf fod pab newydd [Iwan Pawl II] wedi'i ethol y diwrnod hwnnw, felly rwyf yn gwbl sicr o'r dyddiad.) Roedd Harri'n gyfaill agos i Seán Mac Réamoinn, un o ddeallusion amlycaf Iwerddon a gŵr a oedd yn rhugl ei Gymraeg ac wedi'i ethol yn aelod o Orsedd y Beirdd. Roedd

gan Seán gysylltiad â chwmni cyhoeddi Penguin, cwmni a
oedd wedi awgrymu iddo mai da o beth fyddai cyhoeddi
cyfrol ar hanes Iwerddon yn yr Wyddeleg. Yn ôl y sôn,
roedd y cwmni wedi cael ei feirniadu oherwydd nad oedd
y gyfrol ar Ganada yn ei gyfres 'Hanes y Cenhedloedd' wedi
rhoi digon o sylw i'r Canadiaid nad oedd y Saesneg yn iaith
gyntaf iddynt. Honnid bod Peter Carson, cyn Brif Olygydd
y cwmni, wedi penderfynu nad yn Saesneg y byddai'r nesaf
yn y gyfres.

Roedd Seán Mac Réamoinn yn amau a fyddai cyfrol yn
yr Wyddeleg yn llwyddiant masnachol ac awgrymodd gyfrol
yn y Gymraeg yn lle hynny. Gofynnodd i Harri am enw y
medrai ei gynnig fel awdur, ac (a gaf fi weiddi bonllefau
o fawl?) awgrymodd Harri fy enw i. Cefais wahoddiad
i gyfarfod â Peter Carson yn Llundain yn ystod haf 1979.
Fy mwriad oedd galw arno wrth ddychwelyd o ymweliad
â Gwlad Groeg. Roedd honno'n daith hyfryd – ar y trên o
Lundain i Baris, i Rufain ac i Brindisi; wedyn yn y cwch i
Corfu ac ymlaen i Patras a Delphi. Yn Delphi, ceisiais ofyn
i'r oracl beth fyddai tynged Cymru ond ni chefais ateb.
Profiad cofiadwy oedd hwylio i Greta, ymweld â Knossós
a Phaistos a gweld yr enw Evans ar arwydd stryd mewn
llythrennau Groegaidd. Yr 'Evans' hwn oedd Arthur Evans,
y gŵr a ddaeth o hyd i olion Palas Knossós ar ynys Creta ac
a ddatblygodd y syniad o Wareiddiad Minoaidd. Roedd y
daith yn ôl – trwy Thessalonika, Skopje, Beograd a Fenis, ac
ymlaen i Milan – yn hynod ddiddorol.

Ym Milan, fe wnaeth rhywun ddwyn fy nghot ar y trên,
cot a oedd yn cynnwys fy mhasbort, fy arian a'm tocyn. Ni
sylwais ar hynny tan ar ôl i'r trên fy nghludo ymlaen o Milan
at y ffin â'r Swistir, a chefais fy arestio ar y dybiaeth fy mod
yn ceisio cael mynediad i'r wlad honno heb basbort. Cefais
fy hebrwng yn ôl i Milan gan wŷr arfog a bu'n rhaid i mi

fynd eto ar ofyn y Conswl Prydeinig am gymorth – y tro hwnnw roeddwn yn medru ad-dalu Llywodraeth Prydain â'm harian fy hun. Roedd y siwrne yn ôl yn hudolus. Dywedodd Sydney Smith mai ei syniad ef o nefoedd oedd 'eating *pâté foie gras* to the sound of trumpets'. Fy syniad i yw mynd mewn trên i fyny ceunant afon Rhein yn bwyta omlet ac yn yfed Bernkastel Doktor – profiad rwy'n ceisio'i gael bob blwyddyn.

Oherwydd yr oedi ym Milan, roeddwn yn rhy hwyr i gyfarfod â Peter Carson. Felly, trefnwyd cyfarfod arall yn nes ymlaen ac fe'i cefais yn berson hyfryd. Gofynnais iddo:

'Odych chi'n cyhoeddi'n aml mewn ieithoedd heblaw'r Saesneg?'

'Yn aml iawn,' meddai ef.

'Pryd oedd y tro diwethaf i chi gyhoeddi mewn iaith arall?' gofynnais.

Aeth trwy ei ffeiliau a dweud: 'We published one for the Free French in 1940.'

'Pam cyhoeddi yn Gymraeg?' gofynnais.

'Because it would be a fun thing to do,' oedd yr ateb.

Bûm yn synfyfyrio ynglŷn ag ymddygiad golygyddion cwmnïau cyhoeddi. Eisteddant i lawr a gwenu'n serchog arnoch, eich condemnio i oriau maith o unigrwydd yn gosod marciau du ar bapur, a nodi efallai y cewch, neu efallai na chewch, incwm a bri am eich gwaith. Darn o bapur heb ddim ysgrifen arno sy'n peri'r dychryn mwyaf i awdur ac unigrwydd yw nodwedd amlycaf ei fywyd – ffeithiau nad yw trwch y boblogaeth yn sylweddoli, efallai. Ond boed a fo am hynny; cefais y comisiwn, ynghyd â chyfarwyddyd ynglŷn â hyd y gwaith a dyddiad ei gyflwyno, cyfarwyddyd a anghofiais yn gyflym.

Yr oeddwn wedi mynd i Wlad Groeg yn bennaf i gael cysur wedi siom enbyd canlyniad erchyll Refferendwm 1979.

Dyw'r rhai sy'n rhy ifanc i gofio'r siom honno ddim yn deall i ba raddau y llethwyd gwladgarwyr Cymreig yn y flwyddyn honno. Yr oedd Janet a mi'n teimlo nad oedd pwrpas bellach i barhau i fyw yng Nghymru ac y dylem ymfudo i rywle lle roedd y trigolion yn credu yn eu gwlad. Awgrymodd hi Israel; awgrymais innau Kurdistan, a bu bron i ni gyfaddawdu ar y Cotswolds. Ar y ffordd yn ôl o ymweld â swyddfa Penguin, mi ddes i'r casgliad fod derbyn y comisiwn wedi bod yn gamgymeriad affwysol. Sut yn y byd yr oeddwn wedi cytuno i ysgrifennu cyfrol ar Gymru mewn cyfres ar 'Hanes y Cenhedloedd' wedi i drwch drigolion Cymru ddatgan yn groyw nad oeddynt yn credu eu bod yn genedl? Ystyriais ysgrifennu at Peter Carson i ddweud wrtho fy mod yn cefnu ar fy nghytundeb ond cyn i mi anfon y llythyr, cefais neges gan John Osmond yn dweud ei fod yn trefnu cyfarfod ar 'The National Question Again'. John, yn anad neb, a gadwodd y fflam i fynd yn yr wythdegau, pan oedd Thatcheriaeth yn ymddangos yn fuddugoliaethus ym mhob man. Roedd ef o'r farn y byddai llunio llyfr cynhwysfawr ar hanes Cymru yn debyg o fod o werth pan ailgodid y cwestiwn, a dadleuodd na fedrech chi ddad-ofyn cwestiwn unwaith y mae'r cwestiwn wedi'i ofyn. Ac roedd yn gywir. Yn wir, y sylw a roddodd y balchder mwyaf i mi oedd hwnnw gan ddynes yn y Fenni yn 1997: 'I voted yes, because your book made Wales sound interesting.'

Felly, mi euthum ati o ddifrif, gan lanw pob bwlch yn fy narllen ar orffennol Cymru. Ac rwy'n golygu pob bwlch, hyd yn oed y darnau nas cyhoeddwyd o'r *Episcopal Acts relating to Welsh Dioceses*, a phob rhifyn o'r *Llenor* a *Welsh Outlook*. Erbyn haf 1982, roedd gennyf ddeg cyfrol enfawr o nodiadau. Ond mi wyddwn nad oedd unrhyw bwrpas dechrau ysgrifennu tra oeddwn yn byw ym Mhantycelyn. Fy arfer yno oedd eistedd yn fy swyddfa a'r llenni'n agored rhag ofn fod rhywun eisiau galw i drafod problem. Bu'r coleg yn ddigon caredig â chaniatáu i mi gael blwyddyn sabothol a phenderfynais mai'r lle gorau i mi fynd iddo oedd y Brifysgol Ewropeaidd yn Fiesole, ger Fflorens, man yr oeddwn wedi ymweld ag ef yng nghwmni Ned Thomas ychydig flynyddoedd ynghynt, pan wnes ddargyfeiriad ar fy ffordd i Krakov i gyfarfod â Lyn Davies a oedd yn fyfyriwr ymchwil yno.

Gan fod y sefyllfa yng Ngwlad Pwyl yn gwaethygu'n gyflym, roedd Lyn wedi gadael erbyn i mi gyrraedd yno, ond diddorol oedd clywed merch mewn bwyty yn y Rynek Glówny yn dweud yn uchel: 'Rwy'n credu mai warden Pantycelyn yw hwnna.' Elin Wyn oedd hi, myfyrwraig o Fangor a oedd yn astudio'r ieithoedd Slaf yn Krakov. Roedd hi ac aelodau o'i theulu yn bobl hyfryd, ac aethom gyda'n gilydd i Zakopane, lle mae'r golygfeydd o'r mynyddoedd rhwng Slofacia a Gwlad Pwyl yn ogoneddus. Tra oeddwn yn Krakov bûm yn ymweld ag Auschwitz. Y peth mwyaf a'm trawodd yno oedd cês a oedd yn eiddo i ŵr a laddwyd yn y gwersyll. Ar y cês roedd labeli yn dwyn yr enwau Paris, Fflorens, Fenis a Fienna, yr union fannau yr oeddwn wedi teithio trwyddynt ar fy ffordd i ddeheudir Gwlad Pwyl. Roedd arno hefyd lythrennau blaen enw ei berchennog. Y llythrennau oedd J D. Er nad oeddwn yn ddim ond pum mlwydd oed pan ddaeth y perchennog i'w ddiwedd, teimlais mai fy nghês i ydoedd, ac mai fi a laddwyd yn Auschwitz. Credaf mai dyma'r unig achlysur y bu imi feichio wylo'n gyhoeddus.

Ond sôn yr oeddwn am fy nhaith mewn car o Aberystwyth i Fflorens – cyfle i ymweld ag Aachen, Rottenburg, Trento a Bologna. Es i ati'n syth yn Fiesole, a hyfryd oedd cyfarfod â myfyrwyr y brifysgol yno. Roedd y sefydliad hwnnw'n derbyn naw myfyriwr y flwyddyn o bob un o wladwriaethau'r Gymuned Ewropeaidd – dyna 27 o Lwcsembwrg, 27 o

Weriniaeth Iwerddon, 27 o'r Deyrnas Unedig ac yn y blaen. Ni sylwais fod yr un Cymro na Chymraes yno. Doedd llyfrgell y brifysgol yn cynnwys fawr ddim ar Gymru, tra oedd y deunydd ar Iwerddon yn doreithiog – dadl arall o blaid gwladwriaeth Gymreig. Gan fod Fflorens yn cynnig gwell lleoedd i fwyta ynddynt a mwy o amgueddfeydd i'w gweld, symudais o Fiesole i'r ddinas a threulio deg wythnos yng ngwesty'r Due Fontane ar y Piazza della Santissima Annunziata. Bûm yn aros yng ngwesty Milton yn Vallombrosa, a sylwais mai dail sycamorwydden oedd yn llanw'r nentydd yno. Roedd modd dod i ben ar ychydig iawn o arian; cost y gwesty oedd saith bunt y noson, ac mi ddes o hyd i fwyty lle roedd modd cael *minestrone, spaghetti, crème caramel* a hanner botel o Chianti am ddeg swllt. Anelais at ysgrifennu am ddeg awr y dydd, trefn a ganiatâi i mi weld o leiaf un Swper Olaf cyn y brecwast cyntaf. Dysgais drefn y deg llun cyntaf yn yr Uffizi – camp a wnaeth argraff ddofn ar y gŵr dysgedig hwnnw, yr Athro Freud, yn Aberystwyth. Arferwn ysgrifennu'n ddi-baid drwy gydol cinio'r nos – efallai i'r Chianti fod yn gymorth yn hyn o beth – ond yn aml bu'n rhaid treulio'r bore trannoeth yn ceisio gwneud sens o sgribl y noson cynt. Roedd hi'n haws ysgrifennu mewn bwytai pan oedd y sgwrs i gyd mewn Eidaleg, iaith nad oes gennyf afael gadarn arni. Weithiau deuai grwpiau o Americanwyr i mewn; roedd hynny'n gwneud pethau'n anoddach, yn rhannol oherwydd fy mod yn deall beth roeddynt yn ei ddweud, ac yn rhannol oherwydd bod aelodau o genedl dra-arglwyddiaethol yn tueddu i siarad yn uwch. Rwy'n sicr mai sibrwd gyda'i gilydd a wnâi Brythoniaid Caer-went, ond diau fod Rhufeiniaid y dref yn dipyn mwy clywadwy. Darganfyddais *discos* hefyd; a minnau'n ysgrifennu'n araf, roeddwn yn medru meddwl am air ychwanegol bob tro yr oedd y golau strob yn taro fy mhapur!

Yr oeddwn wedi cael gafael ar y *Spartacus Gay Guide*, neu'r Hoywiadur fel y mae cyfaill i mi yn ei alw, ac weithiau awn i far cymdogol yn Via di Colonna. Dichon fod y dynion oedd yno i gyd yn llygadu ei gilydd ond sidetrwydd y lle wnaeth fy nharo yn bennaf. Roedd yn fy atgoffa i o'r Eisteddfod Genedlaethol – pobl o gyffelyb chwaeth yn dod at ei gilydd yn achlysurol – er nad yw pawb wedi gwerthfawrogi'r gymhariaeth honno. Wrth i gymdeithas yn gyffredinol ddod yn fwy goddefgar o bobl gyfunrywiol, o leiaf yng ngorllewin Ewrop, mae nifer bariau o'r fath yn lleihau. Pe bai trwch trigolion Cymru â gafael ar y Gymraeg, tybiaf mai dyna fyddai tynged yr Eisteddfod Genedlaethol hefyd.

Erbyn canol Rhagfyr 1981 roeddwn wedi ysgrifennu tair pennod gyntaf y gyfrol, a rhan o'r bedwaredd bennod. A ninnau wedi trefnu bod Janet a'r plant yn dod i dreulio'r Nadolig yn yr Eidal, gyrrais i gyfeiriad Rhufain gan weithio ar y bedwaredd bennod mewn gwesty yn Assisi. Ysgrifennwn adref yn ddyddiol a hyfryd oedd clywed bod Russell Davies, a oedd wedi cymryd drosodd ym Mhantycelyn, yn llwyddiant mawr. Y bwriad oedd cyfarfod â'r teulu ym maes awyr Rhufain a mynd â nhw i aros mewn fila ar y Costa Amalfitana. Wrth chwilio am fila euthum i fwyty yn Ravello. Daeth llais o ford gyfagos yn gofyn:

'What are you doing in Magna Graecia?'

Gofynnais innau: 'What are you doing?' A chefais yr ateb:

'I am being myself, being Gore Vidal.'

Cawsom sgwrs am ei nofel *Julian* a gofynnodd i mi pa lyfr oedd gen i. Roeddwn yn darllen, am y trydydd tro, *Edrych yn Ôl* gan R. T. Jenkins.

'Who the hell is he?' gofynnodd Gore Vidal. Teimlais nad oedd cynnig y disgrifiad 'the greatest expert on Calvinistic Methodism' yn taro tant yn y cwmni hwn, ac felly dywedais,

111

'A very distinguished Francophile'. Daeth yr ateb, 'I never did like the French', ac yna bu'n siarad am bob math o bethau, gan gynnwys ei gartref yn Ravello (cwynai fod y ddynes oedd yn cadw'i dŷ yn gwerthu cnau Ffrengig ei ardd gan beri iddo orfod talu am y rhai roeddem yn eu bwyta yn y gwesty), y gyfres o nofelau roedd yn ei chynllunio ar America ganol y bedwaredd ganrif ar bymtheg, a'i gi, Rat, a fu mewn cwarantin ym Mhrydain, gwreiddyn ei amheuaeth o bob agwedd ar Brydain. Soniodd am ei obeithion am yrfa wleidyddol ac am ei siom ei fod wedi methu dod yn llywodraethwr Califfornia.

'I would have won that election had I spent another half a million dollars,' meddai.

'Could you have afforded that?' gofynnais.

'I am a millionaire in a small way,' meddai, ac aeth ymlaen i ddweud ei fod wedi'i eni i fod yn arlywydd yr Unol Daleithiau. Ffromodd pan ddywedais: 'If you want to lead your country, the least thing you should do is live in it.' Ymdoddodd rhywfaint pan sylweddolodd mai fi oedd yr unig berson iddo'i gyfarfod erioed a oedd wedi darllen ei nofel ar Richard I. Holais am ei lyfr *The City and the Pillar*, a chydnabu bod y deunydd homoerotig yn y gyfrol honno'n medru creu anhawster, yn arbennig mewn rhannau o'r Unol Daleithiau. Aeth â mi i brif westy Ravello ac yno, er syndod i'r porthor nos, tynnodd lu o boteli o'r silffoedd a chynnig i mi unrhyw ddiod yr oeddwn am ei blasu. Agorodd lenni'r gwesty er mwyn i mi werthfawrogi'r olygfa ardderchog o Minori. A minnau eisoes wedi crybwyll sgyrsiau gyda De Valera a'r Uwch-gapten Haddad, efallai y dylwn fod wedi rhoi ystyriaeth i sylw olaf Gore Vidal: 'I hate name-droppers'.

Yn fuan, cyrhaeddodd y teulu'r fila roeddwn wedi'i logi yn Amalfi. Roedd yn lle hyfryd, gyda golygfa odidog o'r arfordir, gardd yn gyforiog o orenau, a madfallod yn bolaheulo ar y creigiau. Yr oeddwn wedi croesi Ewrop mewn Fiat bychan ond diau mai annoeth oedd cludo ynddo chwech o bobl i gopa Vesuvius. Buom yn Napoli, lle cawsom fod sail i'r gred ei bod yn ddinas gaotig, ac aethom ymlaen i Abruzzo, lle buom yn sgio yn Roccaraso.

Dychwelodd y teulu adref a phan oeddwn yn Capri, cefais y newyddion trist fod ein gast annwyl, Branwen, wedi marw; hi oedd y chweched o'r genod yn fy mywyd. O ardal Napoli, euthum ymlaen i dde'r Eidal, i Wlad Groeg ac i Sisilia. Er fy mod yn teithio, ceisiwn ysgrifennu am o leiaf chwe awr y dydd. Gogleisiol oedd ysgrifennu am y Brenin Arthur yn Otranto, a gweld Rex Arturus yn cael ei anfarwoli ym mrithwaith llawr y gadeirlan yno. Diddorol oedd cyrraedd Orvieto ar 22 Ionawr 1983, saith can mlynedd yn union i'r diwrnod pan ddarfu i un o glercod Edward I lunio llythyr yno yn llawenhau fod 'yr hen sarff Llywelyn... wedi'i drechu ar faes y gad'. Roedd y daith drwy'r Swistir, yr Almaen a Ffrainc yn hynod ddymunol; dotiais at bentrefi prydferth Alsás, galarais wrth weld beddau diddiwedd Verdun, a hoffais dirlun Arras, un o'r mannau a fu mor ganolog yn yr Oesoedd Canol Diweddar, y cyfnod yr oeddwn yn ysgrifennu amdano wrth i mi glosio at Calais.

Cefais groeso caredig wrth ddychwelyd i Bantycelyn, gyda'r myfyriwr hoffus Dyfrig Davies yn cynnig llwncdestun croeso i mi yn y Cŵps. Mae Dyfrig wedi cael gyrfa ddisglair yn y byd darlledu, a hoffwn feddwl mai fi a roes gychwyn i'w yrfa trwy ei berswadio i ymddangos ar *Helo Bobol* i drafod trefnu angladdau.

Ni fûm yn hir yn Aberystwyth gan i mi gael fy nerbyn yn gymrawd yng Nghanolfan Uwchefrydiau Prifysgol Caeredin. Rhan o'r pleser o fod yng Nghaeredin oedd cael cwmni'r dysgedig Owen Dudley Edwards, gŵr yr oeddwn eisoes wedi cwrdd ag ef wrth weithio ar gynlluniau John Osmond. Y flwyddyn 1983 oedd pum can mlwyddiant sefydlu'r brifysgol yng Nghaeredin. Cafwyd llu o ddathliadau arbennig, a'r achlysur a gofiaf orau yw darlith David Daiches ar grefydd a llenyddiaeth yr Alban.

Daeth y teulu i Gaeredin yn ein *caravanette* a chynlluniasom daith o gwmpas yr Alban. Tra oeddwn yng Nghaeredin, cafodd Janet a mi sgwrs ynglŷn â rhywioldeb a theimlais nad oedd unrhyw beth a ddywedais yn syndod iddi hi. Pan ddaeth y mater yn hysbys i'r plant, cefnogaeth yn unig a gefais. Yn nes ymlaen, pan gafodd amwyster fy rhywioldeb fesur o gyhoeddusrwydd, gofynnwyd i Guto am ei agwedd ef mewn darllediad o sgwrs rhyngddo a Iolo Williams. 'Mae gormod o bobl gysetlyd yng Nghymru,' oedd ateb Guto. 'Rwy'n sicr ei fod e'n beth da fod ambell un yn siglo pethau lan tamed bach.' Gan fod Ianto wedi bod yn fyfyriwr ym Mhrifysgol Sussex ac wedi dod yn gyfarwydd â Brighton, doedd dim byd yn ei synnu ef.

Cawsom amser braf yn crwydro'r Alban, gan ymweld â mannau fel Loch Ness, Culloden, John o'Groats, gerddi Inverewe a Melrose. Wedi i ni ddychwelyd i Bantycelyn, sylweddolais fy mod wedi ysgrifennu chwe phennod gyntaf y gyfrol ac wedi cyrraedd ail hanner y ddeunawfed ganrif. Cyfrifais nifer y geiriau roeddwn wedi'u hysgrifennu, a sylweddoli bod dros gant o filoedd ohonynt, miloedd yn fwy nag yr oedd Penguin wedi'i awgrymu ar gyfer y gyfrol gyfan. Yr oeddwn wedi ymdynghedu y byddai hanner yr astudiaeth yn ymwneud â'r cyfnod wedi 1770. Felly, roedd angen ysgrifennu tua chan mil o eiriau ychwanegol, gan greu teipysgrif a fyddai tua thair gwaith yn hirach na'r hyn yr oeddwn wedi'i gytuno gyda'r cyhoeddwyr. Nid parodrwydd i anwybyddu'r canrifoedd cynnar oedd sail y penderfyniad i roi'r un faint o sylw i'r blynyddoedd rhwng 1770 ac 1980 ag i'r blynyddoedd o'r dechreuadau hyd 1770. Yn wir, cytunaf â

J. E. Lloyd fod Cymru, yn fwy nag unrhyw wlad arall, bron, yn wlad na ellir gwerthfawrogi ei hanes heb gynefino â'r hyn a ddigwyddodd yno yn yr Oesoedd Canol. Ond, ar ôl dweud hynny, rhaid cofio bod hanesydd, wrth drafod y ddau gan mlynedd diwethaf, yn delio ag o leiaf yr un nifer o bobl ag y mae wrth ddelio â'r holl ganrifoedd cyn hynny. Ymhellach, mae trwch y pynciau sydd o ddiddordeb i ni heddiw â'u gwreiddiau yn y ddau gan mlynedd diwethaf. Felly, teimlwn nad oedd gennyf unrhyw ddewis ond ysgrifennu mwy. Anodd, wrth ystyried amodau heddiw, oedd ysgrifennu darn helaeth o ryddiaith Gymraeg yn wythdegau'r ugeinfed ganrif. Doedd dim Geiriadur Bruce, dim ond cyfrol gyntaf *Geiriadur Prifysgol Cymru*, dim rhyngrwyd a dim prosesydd geiriau – ffaith a wnaeth rhifo geiriau yn waith oriau. Ysgrifennwyd y cwbl ag ysgrifbin ac mae'r llawysgrif gyfan gennyf o hyd. Tybed a oes 'na brifysgol yn Texas sy'n awyddus i'w phrynu?

Hyfryd oedd bod yn ôl ym Mhantycelyn, lle ysgrifennais drwch gweddill y geiriau. Nid cellwair yr oeddwn wrth nodi yn rhagymadrodd *Hanes Cymru* fy nyled 'i'r gymdeithas wâr [oedd yno] am ganiatáu i mi'r heddwch a rhoi i mi'r ysbrydoliaeth i fwrw ymlaen â'r gwaith'. Roeddwn wedi gorffen yr ysgrifennu ddiwedd 1986 ac roedd gennyf bron chwarter miliwn o eiriau. Bûm wrthi am fisoedd yn ceisio lleihau'r nifer ond ofer fu'r ymdrech. Byddwn yn aml yn camdreiglo, yn drysu ynghylch dwy 'n' a dwy 'r', ac yn cymysgu rhwng 'u' ac 'i'. Doedd dim Cysill ar y pryd, wrth gwrs, a bu John Rowlands yn ddigon caredig â mynd trwy'r holl deipysgrif ac elwais yn enfawr o'i gymorth.

Anfonais y gwaith at y cyhoeddwr ym mis Tachwedd 1987, pan oedd trigolion Pantycelyn yn cael eu cyffroi gan y rhaglenni a gynhyrchwyd gan Lowri Gwilym ar gyfer y gyfres *Aber, Aber*. Bu aelodau cwmni Penguin yn trafod eu parodrwydd i gyhoeddi cyfrol dair gwaith hwy nag y disgwylient. Fodd bynnag, bu'r cwmni'n ddigon graslon â chytuno i wneud hynny, a chyhoeddi cyfrol glawr caled o dan wasgnod Allen Lane yn hytrach na chyfrol glawr meddal o dan wasgnod Penguin. Rhyfedd oedd clywed am eu hanawsterau i ddod o hyd i olygydd cyfrol Gymraeg.

'Ym mha le,' gofynnais, 'yr ydych wedi gwneud eich ymholiadau?'

'Ym mhobman yn Llundain,' oedd yr ateb.

Yn y pen draw, golygwyd y testun gan aelodau staff y Cyngor Llyfrau, a gwnaed y cysodi gan Wasg Gomer. Cyflwynwyd y gyfrol i Mam – y gynharaf o'r genod yn fy mywyd – ac ysbrydoledig oedd ei chlywed, a hithau dros ei naw deg, yn traddodi araith hyfryd yn y lansiad yn yr Hen Goleg yn Aberystwyth ddiwedd haf 1990. Llawenydd yw cael cyfrol wedi'i chyhoeddi gan gwmni fel Penguin, gan fod modd gweld eich gwaith mewn siopau llyfrau ledled y byd. Gwelais gopïau o fersiwn Saesneg *Hanes Cymru* yn Auckland, Singapore, Delhi a Vancouver; roedd rhyw ddwsin ohonynt yn y Twin Towers yn Efrog Newydd a diau iddynt gael eu dinistrio gan yr ymosodiad erchyll ar y tyrau hynny.

Cafodd y gyfrol groeso cynnes, er i mi deimlo na roddais ddigon o amlygrwydd i'm cred fod pob 'ffaith' hanesyddol yn ddibynnol ar ei chyd-destun diwylliannol. Balchder mawr i mi oedd adolygiad Gwyn Alfred Williams a honnodd ei fod yn canfod tinc o lais R. T. Jenkins yn fy ngwaith. Roeddwn bob amser yn darllen paragraffau o waith R. T. Jenkins cyn ysgrifennu'r un frawddeg yn Gymraeg. Deuthum i efelychu rhai o'i nodweddion, yn enwedig ei hoffter o gromfachau ('Fi,' meddai ef, 'yw cromfachwr mwyaf brwd y byd.'), ond ceisiais ymbellhau o'r hyn a ystyriwn ar y pryd yn orbwyslais ganddo ar hanes crefydd. Roedd y cyfnod rhwng anfon y deipysgrif a derbyn y proflenni yn gyfle i ailgydio mewn teithio.

Euthum ar drên a llong i Dwrci. Dotiais at Gaer Cystennin, a hyfryd oedd cyflwyno'r ddinas i Janet ac Anna, a hynny yn 2012. O Gaer Cystennin, teithiais i Ankara lle bûm yn ymweld â chasgliad gorau'r byd o hynafolion, sef yr un yn Amgueddfa Anatolia. Daliais fŷs o Ankara i Cappadocia, a diddorol oedd mynd trwy bentref y Bala, a safai ar lan llyn, a meddwl tybed a ydyw'r enw'n dystiolaeth o'r llwyth Celtaidd, y Galatiaid, y bobl yr anfonodd Sant Pawl lythyr atynt? Roedd Cappadocia, gyda'i ddinasoedd tanddaearol a'i fryniau folcanig a oedd yn llawn o luniau Cristnogol, yn ardal hudolus. Arhosais ar lawr uchaf gwesty tal a thenau. Cofiaf sefyll ar falconïau oedd yn wynebu'r de, y dwyrain, y gogledd a'r gorllewin, a sylweddoli nad oedd neb am o leiaf fil o filltiroedd i bob cyfeiriad yn fy adnabod. Roedd yn deimlad hyfryd iawn.

Ymddangosodd *Hanes Cymru* ychydig fisoedd ar ôl i mi ddychwelyd a chefais gais am fersiwn Saesneg o'r llyfr. Cyhoeddwyd hwnnw yn 1993, a diddorol yw nodi bod y fersiwn clawr caled Cymraeg o'r gyfrol wedi gwerthu'n well ym Mhrydain na'r fersiwn clawr caled Saesneg. Cafodd yr olaf werthiant mawr yn yr Unol Daleithiau, lle roedd yn ddewis y mis gan glwb llyfrau hanes y wlad honno. Rhyfeddod i mi, pan oeddwn ar ymweliad â Phrifysgol Berkeley, oedd bod bron pob aelod o'r Adran Geltaidd yno wedi dod â chopi i mi ei lofnodi.

Ein pryder mwyaf yn 1990 oedd ymhle yr ymgartrefem. Roeddem wedi cytuno y byddem yn gadael Pantycelyn pan fyddai'r ieuengaf o'n plant yn gadael yr ysgol uwchradd, dyddiad a oedd yn closio. Doedd Janet – a hithau'n dal i hiraethu am dŷ ymreolus – ddim wedi llwyr ymserchu yn y profiad o fyw ym Mhantycelyn. Ond roedd hi wedi twymo at Aberystwyth, yn enwedig ar ôl iddi gael swydd yn 1988 gyda Mercator, corff a sefydlwyd i astudio'r ieithoedd llai eu defnydd a siaredid yng ngwledydd y Gymuned Ewropeaidd. Denwyd i Aberystwyth rai o ieithyddion ifainc galluocaf Ewrop – o Wlad y Basg, o'r lleiafrif Slofen yn yr Eidal, o Lydaw, o'r Alban, o Iwerddon ac o Ffrisia. Gan fod Ned Thomas, cyfarwyddwr Mercator yng Nghymru, wedi sicrhau mai'r Gymraeg fyddai iaith gyfathrebu canolfan Aberystwyth, cyffrous oedd dod o hyd i bobl o sawl cwr o Ewrop a oedd yn gwbl rugl yn yr iaith. Cafodd y ganolfan hefyd effaith ar bobl nad oedd mewn cysylltiad ffurfiol â hi. Fe wnaeth yr annwyl Dad Fitzgerald, a oedd eisoes â gafael gadarn ar brif ieithoedd Ewrop – y rhai hynafol a'r rhai cyfredol – feistroli'r Fasgeg, a threuliai ei wyliau'n pregethu ac yn cynnal yr offeren yn nifer o eglwysi Gwlad y Basg.

Problem codi arian i'n galluogi i brynu tŷ oedd yn ein poeni ni fwyaf. Roeddem wedi clirio'r ddyled a ddeilliodd o'n hantur yn Nryslwyn ond er cael cartref di-dâl ym Mhantycelyn, ac ambell siec gan y BBC a HTV, prin oedd ein cynilion. Roedd pob arwydd fod prisiau tai yn mynd i godi'r tu hwnt i'r hyn y medrwn ei fforddio. Felly, penderfynais mai'r dewis gorau fyddai imi ymddeol o'm swydd fel darlithydd er mwyn cael y swm a dderbynnid am wneud hynny. Dyna a wnes yn Hydref 1990, gyda'r addewid y cawn aros am ddwy flynedd ym Mhantycelyn. Y syniad oedd byw yn Aberystwyth, ar y dybiaeth mai yno ymhlith eu cyfeillion y byddai ein plant eisiau byw ac oherwydd ein hawydd i fod wrth law gan fod fy mam oedrannus yn byw ar ei phen ei hun yn Nôl-y-bont. Ond, yn ôl y plant, roeddynt yn fwy tebyg o gyfarfod â'u cyfeillion yng Nghaerdydd, lle roedd y mwyafrif ohonynt yn gweithio. Roeddwn innau eisiau byw mewn man lle nad oedd raid i mi ysgrifennu 'SY' ar unrhyw lythyr o'm heiddo, ac felly na fyddai rheidrwydd arnaf i ddatgan fy mod yn byw yng nghyffiniau tref yng ngororau Lloegr. Ond sefyllfa Mam oedd yn allweddol; roedd fy chwaer, Anne, yn frwd i'n cynorthwyo gyda'r gwaith gofalu ond ni fedrai, gan ei bod yn gwarchod ei gŵr a oedd ar ei wely angau yn Sussex. Roeddwn yn gweld Mam sawl gwaith yr wythnos; awn â hi i siopa bob dydd Mercher, byddwn yn trin ei gardd helaeth bob dydd Sadwrn ac yn trefnu ei bod yn dod i swper bob nos Sul. Mater o falchder i Guto, a oedd wedi pasio'i brawf gyrru ar ei ymgais gyntaf, oedd cludo'i fam-gu yn ôl ac ymlaen. Byddai wedyn yn fy nghludo i Frynamlwg, lle byddwn yn cyfarfod â'm cyfeillion annwyl Deian Hopkin, John Williams a John Davidson; roedd John Williams (y diweddar erbyn hyn, ysywaeth) yn medru gwneud sylwadau bachog, a hyfryd fyddai clywed ei farn ar y ffaith fod Deian bellach yn farchog.

Ddiwedd mis Hydref, tua hanner nos, cawsom alwad ffôn oddi wrth Mam – peth na fyddai byth yn ei wneud yn hwyr y nos – yn dweud ei bod yn teimlo'n wael. Aeth Beca a mi i'w gweld, a galwasom ddoctor. Roedd ef o'r farn ei bod wedi cael strôc fechan, a chafodd sawl un arall yn yr ysbyty yn Aberystwyth. Gwellodd wedi hynny a threfnais iddi fynd i gartref gofal ardderchog yn Llan-non. Y tro olaf i mi ei gweld, dywedodd wrthyf: 'Os na allwch wneud yr hyn rydych eisiau ei wneud, mae'n well i chi fynd yn deidi.' Bu farw drannoeth – 21 Ebrill 1991 – ar drothwy ei phen-blwydd yn ddeuddeg a phedwar ugain oed; fe'i hamlosgwyd, yn unol â'i dymuniad, a hynny yn Amlosgfa Abertawe, a gwasgarwyd ei llwch ar y mynydd uwchben Cwm-parc. Profiad ysgytwol yw colli'r ddau riant; rydych yn sylweddoli mai chi yw'r nesaf at abergofiant. Roeddwn mor ddyledus i Mam ac rwy'n dal i hiraethu amdani. Pan fyddwn yn mynd i ffwrdd, byddai am i mi ei ffonio i ddweud wrthi fy mod wedi cyrraedd yn ddiogel. Er bod mwy nag ugain mlynedd wedi mynd heibio ers inni ei cholli, rwy'n dal i geisio gwneud yn sicr fod gennyf y modd i'w ffonio.

A ninnau heb ddim i'n cadw yng Ngheredigion, prynasom dŷ yng Nghaerdydd, a diau mai yn y ddinas honno y byddwn bellach.

6

Pontcanna a'r byd

1992–2000

YM MHANTYCELYN, ROEDD gennym draddodiad o gynnal cinio ddiwedd tymor yr haf i gyfarch y graddedigion newydd. Yn 1992 cynhaliwyd atodiad i'r achlysur er mwyn ffarwelio â mi a'm teulu. Bu areithio caredig, a chefais anrhegion gan staff y neuadd – decanter a photel o bort hynafol. Trefnodd Arwel Rocet Jones fod myfyrwyr y neuadd hefyd yn ein hanrhydeddu. Cefais gartŵn o waith Tegwyn Jones, anerchiad gan Lyn Ebenezer, a chywydd a luniwyd gan Myrddin ap Dafydd. Rwy'n hoff iawn o un o linellau'r cywydd – hwnnw a'm galwodd yn 'Breseli i ni breswylwyr'.

Roedd angen gwaith helaeth ar ein tŷ yn Heol Conwy ym Mhontcanna a mawr yw fy niolch i'm holynydd, Gareth Edwards, am ei barodrwydd i ganiatáu i ni aros ym Mhantycelyn tan ganol mis Medi. Mi gofiaf i ni yrru i Bontcanna gyda thri o'n plant (roedd Beca wedi aros yn Aberystwyth, lle roedd yn gweithio), y ci (Pryderi, mab Branwen) a'r gath (Mackenzie). Bendith arbennig oedd cloi drws y tŷ a gwybod na fyddai neb yn tarfu arnom tan y bore. Un o rinweddau Heol Conwy oedd ei hagosrwydd at dafarndai diddorol. Yr oedd sail i sylw Lyn Ebenezer yn ei anerchiad: 'Colled y Cŵps fydd mantais yr Halfway.' Yn yr Halfway, cyfarfyddais â dau berson a fydd yn gyfeillion oes i mi, rwy'n gobeithio. Un oedd Meic Birtwistle; roeddwn yn ei adnabod pan oedd yn fyfyriwr yn Aberystwyth, a phleser amheuthun oedd ei gyfarfod yn gyson. Y llall oedd Jonathan Gower, y person mwyaf diwylliedig i mi ei adnabod erioed. Fy nhristwch mwyaf yn y nawdegau canol oedd marwolaeth ein sbaniel annwyl, Pryderi, neu Bisto fel y byddwn i'n ei alw. Meddyliais am ruthro allan i brynu ci arall, ond credwn y byddai hynny'n dangos diffyg parch i'w goffadwriaeth.

Daeth gwaith Janet gyda Mercator i ben wrth iddi symud i Gaerdydd ond cafodd swydd gyda Gwasg Prifysgol Cymru. Datblygodd sgiliau ardderchog fel lluniwr mynegeion a chywirydd teipysgrifau, ac mae galw cyson am ei gwasanaeth. Tra oedd yn Aberystwyth bu'n casglu deunydd ar hanes Brycheiniog a Blaenau Gwent, gwybodaeth a fu'n sail i'w chyfrol *Amser i Geisio* (1997), nofel sydd â Chamlas Sir Fynwy ac Aberhonddu yn brif gymeriad ynddi. Cafodd y gyfrol groeso brwd gan yr adolygwyr a chredaf ei bod yn nofel a ddylai fod wedi cael mwy o gydnabyddiaeth. Gan ei bod yn trafod ardal sy'n anghyfarwydd i drwch y Cymry Cymraeg, dichon y byddai croeso mwy brwd i fersiwn Saesneg ohoni. Lluniodd yn ogystal astudiaeth o hanes y Gymraeg o safbwynt dysgwraig a oedd wedi'i chodi mewn ardal ddi-Gymraeg, sef *The Welsh Language: A History* (argraffiad newydd, wedi'i ddiweddaru, 2014).

Bu'r nawdegau hefyd yn gyfnod pan oeddwn innau'n ysgrifennu'n helaeth. Gorffennais y cyfieithiad Saesneg o *Hanes Cymru* a chefais gais gan Geraint Talfan Davies i ysgrifennu hanes y BBC yng Nghymru. Roedd y gwaith yn golygu cyfnodau hir yn archifdai'r gorfforaeth yng Nghaerdydd a Caversham, lle casglais gyfrolau o nodiadau. Rhyfeddod oedd darganfod pa mor haerllug y bu'r awdurdodau yn Llundain, nid yn unig at Gymru ond hefyd at 'daleithiau' Lloegr. (Roeddynt yn dipyn mwy ystyrlon tuag at yr Alban.) Ysgrifennais y gyfrol yn Lisboa, Torremolinos ac yn yr Ynysoedd Dedwydd. Yn Tenerife, cyfarfyddais â meddyg o Ddenmarc a aeth â mi i Barc Loro ger Puerto de la Cruz, lle roedd cyfoeth o barotiaid, pengwiniaid a dolffiniaid. Clywais grwt yn yr acwariwm yn dweud wrth ei rieni fod 'y siarcod yn nofio uwch ein pennau ni nawr'. Meddyliais am longyfarch y rhieni fod ganddynt fab a siaradai Gymraeg mor gaboledig, ond sylwais fod Daniaid a Ffiniaid yn cymryd yn ganiataol mai iaith eu gwlad y byddai eu plant yn siarad; felly ymatalais. Euthum i Tenerife ar drên a llong, a hyfryd oedd dychwelyd dros y môr i ddinas ddiddorol Cadiz, ac yna ar y trên i Sevilla, Madrid, Donostía a Dieppe. Arferai llong y *Saint Helena* hwylio o Gaerdydd i'r Ynysoedd Dedwydd ac yna ymlaen i St Helena ond, ysywaeth, daeth y gwasanaeth i ben cyn i mi gael cyfle i wneud defnydd ohono.

Cyhoeddwyd y gyfrol *Broadcasting and the BBC in Wales* yn 1994. Nid pob adolygydd a ymserchodd ynddi, er i'r rheini a chanddynt wybodaeth o weithgarwch mewnol y gorfforaeth weld rhinweddau ynddi. Roedd rhai'n amau a ddylai rhywun heb deledu ysgrifennu'r fath lyfr. Fy ateb oedd cyfeirio at gyfaill i mi sy'n fwtsiwr ond sydd hefyd yn llysieuwr. Mae e'n gwybod popeth am baratoi cig ond does ganddo ddim awydd i'w fwyta. Ar ôl gorffen y gyfrol ar y BBC, euthum ymlaen i baratoi cyfrol i Cadw ar dirlun Cymru (*The Making of Wales*, 1996; diweddariad a fersiwn Cymraeg 2009), gwaith a ddeffrodd ynof ddiddordeb mewn pwnc yr oeddwn gynt wedi ymserchu ynddo, sef archeoleg. Wrth chwilio am dystiolaeth o bob rhan o Gymru, deuthum i'r casgliad nad canlyniad y dystiolaeth sydd yno yw'r hyn yr ydym yn ei wybod am yr hen oesoedd. Yn hytrach, mae'n seiliedig ar y mannau hynny rydym wedi edrych arnynt – sylw o'm heiddo sydd wedi cael ei ddyfynnu droeon. Ar gais y gŵr gwreiddiol hwnnw, J. Mervyn Williams, lluniais gyfrol yn Gymraeg a Saesneg ar y Celtiaid (*The Celts*, 2000). Diau mai doethach fyddai i mi fod wedi aros am ymddangosiad gwaith John Koch yng nghyfrolau ardderchog *Celtic Culture: A Historical Encyclopedia* cyn gorffen y llyfrau hynny. Mi fûm hefyd yn gyfrifol am lyfryn ar Gaerdydd (2002), ysgrif ar R. T. Jenkins a llu o bytiau i *Barn* a'r *Western Mail*.

Ddiwedd y nawdegau, cefais y cyfle i fod â rhan mewn cynllun a fyddai'n llyncu blynyddoedd o 'mywyd. Ar gais yr Academi Gymreig, cytunais i, Nigel Jenkins a Menna Baines i fod yn olygyddion Gwyddoniadur Cymreig. Buom yn ddigon ffodus i sicrhau bod Peredur Lynch hefyd yn ymuno â'r tîm yn ddiweddarach. Hanfod ein tasg oedd llunio dwy gyfrol o bron miliwn o eiriau yr un mewn dwy flynedd. Ffôl oedd derbyn yr amseriad. Yn wir, gwrthododd Alwyn Roberts, gyda'r galluocaf o'r bobl ym mywyd cyhoeddus Cymru, fod ag unrhyw gysylltiad â'r cynllun oherwydd ffolineb yr amseriad.

Erbyn 1999, roedd Anne, fy chwaer, a minnau wedi cael ein siâr o'r arian a ddaeth drwy werthu tŷ Mam. Roedd yn ddigon i brynu troedle yn Aberystwyth. Dymunwn gael y fath droedle, yn rhannol oherwydd y gallem ei logi yn ystod y tymor er mwyn ychwanegu at fy mhensiwn (byddai'n rhaid i mi aros am ddeng mlynedd a mwy cyn derbyn pensiwn y wladwriaeth). Credwn hefyd mai wythnosau gwyliau'r coleg fyddai'r cyfnod gorau i elwa ar gyfoeth y Llyfrgell Genedlaethol wrth weithio ar y Gwyddoniadur – a derbyn y byddai'r cynllun hwnnw'n dod i fwcwl. Ac fe ddaeth.

Yn y nawdegau, doedd fy mlys i ysgrifennu ddim yn drech na'm blys i deithio, ac roedd Janet hefyd yn teimlo'r un peth. Aeth gydag Anna i Berlin, Prâg a Fienna; cwrddasant â Karl Davies ym Mhrâg, a rhyfeddu at ei allu i lyncu cafiar. Bûm droeon yn Iwerddon, a hyfryd oedd ymuno ag aelodau Cymdeithas Merriman, cymdeithas a sefydlwyd i goffáu'r enwocaf o feirdd Gwyddeleg Swydd Clare. Cefais hefyd wahoddiad i annerch aelodau'r Ddraig Werdd, cymdeithas Cymry Dulyn, a thrafod y Celtiaid gyda hyrwyddwyr twristiaeth yn Iwerddon. Soniais yno am sylw a glywswn yng Nghaeredin, lle roedd nifer yn gwadu bod gan Lothian unrhyw gysylltiad â'r Celtiaid.

'We are Angles here,' dywedwyd wrthyf.

'Just like the English,' atebais yn annoeth braidd.

'Not at all,' meddai un o'r criw. 'When the Angles came across the North Sea, the acute Angles went north, while the obtuse Angles went south.'

Buom drachefn yn yr Alban pan ddarfu i mi a Guto ddringo Ben Nevis, ac y bu Janet yn hedfan uwchben mynyddoedd y Grampian a gweld gwalch yn dilyn yr awyren. Braint oedd adrodd cerdd Aneirin ar wal Castell Caeredin pan oeddwn yn paratoi rhaglen gefn-wrth-gefn ar Wŷr y Gogledd i S4C a Theledu'r Alban, rhaglen a oedd yn dra dyledus i'm hen gyfaill Dyfrig Davies.

Bu Janet, Ianto a mi droeon yn Sbaen, yn rhannol i ddarganfod i ba raddau yr oedd Barcelona yn llwyddo i orffen Eglwys y Teulu Sanctaidd (La Sagrada Família) y bu Gaudi'n ymwneud â hi o 1883 ymlaen. Bûm yn ne Sbaen gyda Guto, gan ymweld â Sevilla a chrwydro yn y Sierra de Ronda. Bûm hefyd sawl gwaith yn Ffrainc, a braf oedd mynd o gwmpas gyda Janet mewn trefi hyfryd fel Beaune ac Épernay.

Euthum am y tro cyntaf i Ogledd America yn 1995, a hynny yn sgil gwahoddiad i mi draddodi'r ddarlith agoriadol yng nghyfarfod sefydlu'r North American Association fôr the Study of Welsh Culture and Society. (Nid fi oedd y dewis cyntaf, ond roedd Gwyn Alfred Williams yn rhy sâl i fynd.) Hedfanasom i Efrog Newydd ac aethom ymlaen i Boston. Ymserchais yn Boston ond bûm yn chwydu yno am ddau ddiwrnod – fy mhrofiad cyson ar ôl bod yn hedfan. Buom yn ciniawa ac yn diota gyda Chymry Cymraeg Cambridge Massachusetts. Llogasom gar a chrwydro ar draws New England. Hyfryd oedd yr arfordir, ac arswydus oedd gweld pa mor fach oedd yr atgynhyrchiad o'r *Mayflower* ger Plymouth Rock. Roedd cefn gwlad yn llai diddorol, yn bennaf oherwydd y cefnu ar amaethyddiaeth a fu yng ngogledd-ddwyrain yr Unol Daleithiau. Doedd teithio ar y ffordd fawr ddim yn cynnig unrhyw fath o olygfa oherwydd doedd neb yn cynnal y caeau ac yn torri'r coed ger yr heolydd. Tra oeddwn yn New England lluniais fy narlith, mewn motelau, ar gyfer y Gymdeithas.

O Boston teithiasom yn y trên i Rio Grande yn Ohio, lle cynhelid y cyfarfod – ardal a ddenodd nifer o ymfudwyr o Geredigion, a lle roedd pentrefi ag enwau fel Tŷ'n Rhos. Yr hyn a'n trawodd fwyaf oedd syndod mynychwyr y cyfarfod ein bod wedi teithio yno mewn trên. Yn ddiweddarach, cyfarfyddais â nifer o bobl ganol oed ar y trên yng Nghalifffornia a oedd yn teithio ar drên am y tro cyntaf yn eu bywydau. Rhyfedd yw meddwl bod yr Unol Daleithiau, a ddaeth i fodolaeth o ganlyniad i reilffyrdd, bellach â thrigolion sy'n frwd dros gefnu arnynt.

Cafwyd croeso i'r ddarlith ac aeth pennaeth Prifysgol Rio Grande â ni allan am ginio; roedd yr ardal yn ddirwestol, felly bu'n rhaid i ni ddygymod â *root beer*, diod hynod o anniddorol. Fodd bynnag, aeth y myfyrwyr â ni i Gallipolis ar lan afon Ohio, lle roedd nifer o dafarndai diddorol. Teimlwn yn anghysurus wrth gael fy ngyrru'n ôl ond sylweddolais mai dyma un o baradocsau llwyrymwrthod. Wedi i'r gynhadledd ddod i ben rhoddodd David Krauser, a oedd yn ddarlithydd yn Toronto, lifft i ni i ddinas Niagara Falls, a threuliasom ddiwrnod hyfryd yno'n edmygu'r rhaeadrau. Er ei fod yn wreiddiol o'r Unol Daleithiau, roedd David wrth ei fodd yn cyrraedd Canada; wrth groesi'r ffin, ei unig sylw oedd 'Adult food at last'. O Niagara, bûm i Toronto, Montreal a Dinas Quebec, ac yna ymlaen i Albany ac Efrog Newydd. Buom yn crwydro yn Central Park, er gwaethaf rhybudd Cymraes yn Rio Grande na ddylem fynd yno heb rifolfer. Tynnodd ei rifolfer hi ei hun allan o'i bag ac nid anodd oedd credu ei bod yn gwbl barod i'w ddefnyddio.

Bûm yn yr Unol Daleithiau am yr ail dro yn 1997. Hedfanais o Gaerdydd i Orlando, Florida, a gogleisiol oedd darganfod bod yr awyren yn glanio ym Mangor. (Buan y sylweddolais mai Bangor, Maine, oedd y lle.) Roedd Celestial China yn Orlando yn ddiddorol ond dim ond stribyn diflas oedd y dref. Llogais gar ac ymweld â'r Everglades, lle roedd nifer o aligatoriaid mawr ar yr heol. Hyfryd oedd mynd o ynys i ynys ar draws y Florida Keys, pe bai dim ond oherwydd y gwibwyr niferus a sychai eu hadenydd ar y gwifrau teleffon, yn union fel y gwna bilidowcars ar lannau afon Taf.

O Miami euthum i Cancun ym Mecsico, man a oedd yn llawn o Ganadiaid a oedd ar eu ffordd i Giwba. 'Mae hi'n ynys hyfryd,' meddai un ohonynt, 'gan nad yw llywodraeth yr Unol Daleithiau yn caniatáu i ddinasyddion y wlad honno fynd yno.' Ymserchais yn fawr yn henebion Mecsico. Dringais i gopa bryn y deml yn adfeilion dinas Maya, Palenque, a theimlo nad oedd gennyf yr hyder i ddringo i lawr. Deuthum i'r casgliad y byddwn yn rhannu profiad y proffwyd Elias a gafodd ei fwydo gan gigfrain ar gopa bryn, ond bu cwpwl o'r Swistir yn ddigon caredig â'm cario i lawr y grisiau. Roedd dinas enfawr Mecsico yn hynod ddiddorol; mae'r amgueddfa genedlaethol yno bron cystal â'r un yn Ankara, a thra deniadol oedd cartref yr arlunydd Frida Kahlo. Euthum i'r tŷ lle lladdwyd Trotsky gan fwyell rew. Gan fod Dinas Mecsico yn lle cynnes, onid yw'n syndod nad oedd unrhyw un wedi sylwi ar rywun ar y stryd yn cario bwyell rew? Cyn iddo gael ei ladd, roedd Trotsky'n darllen llyfr â'r teitl *Death*

Comes to the Archbishop ac mae disgynyddion ei gwningod yn dal i epilio.

Teithiais i'r gorllewin i weld llosgfynydd Popocatépetl ac i'r de i ymweld â dinas Oaxaca. Profiad dychrynllyd oedd gweld pobl o dras cyn-Golymbaidd o dan fordydd bwytai yn y gobaith y byddai rhywfaint o fwyd yn cwympo i'r llawr o blatiau'r bobl o dras Ewropeaidd a oedd yn bwyta uwch eu pennau. Roedd Esgob Oaxaca yn dweud pethau hallt am natur anghyfartal ei gymdeithas, ac o ganlyniad cafodd ei labelu'n Gomiwnydd gan arweinwyr Mecsico a'u cynghreiriaid o'r Unol Daleithiau. Roedd amrywiaeth barn ynglŷn â chrefydd yn yr ardal; yn wir, roedd pentref ger Oaxaca lle roedd y trigolion yn addoli poteli Coca Cola.

Euthum o dde Mecsico i'r gogledd trwy dref lan môr hyfryd Acapulco. Fy mwriad oedd croesi i'r Unol Daleithiau yn Tijuana, tref a oedd yn llawn o ddeintyddion gan fod costau trin dannedd yno'n llai nag ydyw yng Nghaliffornia. Diddorol oedd y ciwio ar y ffin; roedd y rheini a oedd yn edrych fel pobl o ogledd Ewrop mewn ciw byr a chyflym, a'r gweddill mewn ciw hir ac araf. Dywedodd swyddog wrthyf:

'Byddwch yn croesi'r ffin hyd yn oed yn gyflymach pan ddewch yn ddinesydd Americanaidd.'

'Pam ddylwn i fod eisiau bod yn un o'r rheini?' meddwn i.

'Mae pob person yn y byd yn dymuno bod yn ddinesydd Americanaidd,' atebodd.

Roeddwn ar fin dweud 'Nid fi' ond gwyddwn mai annoeth fyddai dadlau gyda swyddog ar y ffin, ac es yn fy mlaen.

Yn San Diego prynais docyn a oedd yn caniatáu i mi deithio am bythefnos heb dâl ychwanegol ar drenau gorllewin yr Unol Daleithiau. Euthum i Los Angeles, dinas *eccentric* (yn yr ystyr wreiddiol – heb ganol). Hyfryd oedd dilyn yr arfordir i San Francisco. Yno, cefais wahoddiad i barti yn nhŷ Athro Astudiaethau Celtaidd Prifysgol Berkeley a syndod oedd clywed bod bron pawb oedd yno yn ymffrostio eu bod yn byw yn union uwchben y San Andreas Fault. O San Francisco euthum i Sacramento ac ymlaen drwy'r mynyddoedd i Denver. Roedd disgynnydd i un o drigolion cynhenid Gogledd America ar y trên a'i dasg oedd disgrifio arferion ei bobl. Torrodd i lawr gan ddweud ei fod yn aelod o boblogaeth goll a fyddai, cyn hir, yn diflannu'n llwyr. O gofio Refferendwm 1979, gobeithiwn na fyddwn i, rywbryd yn y dyfodol, yn teimlo bod yn rhaid i mi ddweud rhywbeth tebyg.

Dychwelais i San Francisco, neu yn hytrach i Oakland – lle y ceir siopau llyfrau ardderchog – er mwyn dal trên i Vancouver. Roedd yn siwrne odidog, a chofiadwy oedd dihuno wrth fynd trwy'r Cascades. Es i weld un o brifysgolion yr ardal; roedd Tori o Sais yno, a gofynnodd:

'How much did the state contribute to the establishment of this place?'

'About 40 per cent,' oedd yr ateb.

'Isn't America wonderful?' meddai'r Tori. 'The other 60 per cent must have come from private, commercial sources.'

'No,' meddai'r sylwebydd. 'The other 60 per cent came from the Federal Government.'

Diau, felly, fod cefnogwyr y dde sy'n mynd i'r Unol Daleithiau yn cael eu camarwain yn llwyr.

Roedd y daith ar draws Canada yn brofiad gwefreiddiol. Ond trist oedd cyrraedd Winnipeg a sylweddoli bod fy hen gyfaill, Brian Evans, a fu'n athro Daearyddiaeth yno, wedi marw, ac felly fyddai e ddim yno i'm croesawu. Mi fûm yn Ottawa, a diddorol oedd cyfarfod â thywysydd yn y Senedd a oedd yn gyfarwydd iawn â Chymru. 'I spent a whole summer in Beddgelert,' meddai, 'building the Great Wall of China.' (Cyfeirio yr ydoedd, mi gredaf, at y ffilm *The Inn of the Sixth*

Happiness.) Euthum i Halifax, Nova Scotia, i ddilyn y Bay of Fundy, sef yr unig afon sydd â mwy o lanw a thrai nag afon Hafren. Hedfanais o Toronto i Amsterdam ac oddi yno i Gaerdydd, taith sy'n ffefryn gennyf gan ei bod yn golygu na fedraf ateb y cwestiwn mynych: 'When are you returning to England?'

Dichon mai fy nhaith fwyaf diddorol yn y nawdegau oedd yr un i'r India yn 1995/6. Ceisiais fynd yno dros dir neu ar long. 'Amhosibl,' meddai swyddog o Thomas Cook. 'Does dim llong cludo pobl yn mynd heibio arfordir Somalia oherwydd y peryglon, a fyddwn ni ddim am i un o'n cleientiaid deithio trwy Irac, Iran a Phacistan.' Rhyfedd sut y mae hedfan wedi cyfyngu ar deithio. (Yn y chwedegau, aeth Trystan, partner Beca, o'r India i Sudan ac ymlaen i Gymru mewn landrofer.) Doedd dim dewis, felly, ond mynd mewn awyren. Yr oedd un yn mynd o Gaerdydd i Goa ac mi es ar honno. Heblaw am y tlodi affwysol, mi ymserchais ym mhopeth a welais. Mi fûm yn yr India am bedwar mis, gan ymweld â phob talaith a oedd yn agored i dramorwyr. Diddorol oedd treulio Noswyl Nadolig yn Kochi; roedd pob gwesty'n llawn a chysgais mewn preseb mewn stabal. Hyfryd oedd teithio ar gamlesi Kerala, yfed pot ar ôl pot o de gwyrdd ym mryniau Nilgiri, a mynd i eithafion de'r India lle trigai pysgotwyr tlawd ar lan y môr.

Roedd trenau'r India yn ddarganfyddiad ac roedd y sgyrsiau arnynt yn rhyfeddol o ddiddorol. Er bod trwch yr Indiaid yn ymhyfrydu'n fawr yn eu gwlad, synnais fod nifer o hyd yn hiraethu am y Raj Brydeinig, yn bennaf, mi gredaf, oherwydd defnyddioldeb yr iaith Saesneg. Arhosais mewn gwesty rhwng Puducherry a Chennai, ac wrth fwyta brecwast credais mai'r Gymraeg a siaredid ar ford gyfagos. Roeddwn yn gywir, gan mai R. Gerallt Jones o Adran Allanol Aberystwyth a'i ferch oedd yn sgwrsio. Roedd e'n trefnu cyrsiau yn Aberystwyth i fyfyrwyr o'r India a daeth un ohonynt atom. Roedd wedi dwlu ar Aberystwyth ac wedi trwytho'i hun yn y dulliau amaethu diweddaraf. O Chennai, euthum i Mumbai, lle bûm yn Amgueddfa Nehru. Ymlith y pethau i'w gweld yno yr oedd carden bost a anfonodd Nehru o Feddgelert at ei fam yn Allahabad. 'You can see Snowdon from here,' oedd ei neges. Gan fod ei dras i'w ganfod ym mynyddoedd aruthrol Kashmir, rhyfedd oedd ei falchder iddo weld pwtyn o fynydd yng Nghymru.

O Mumbai, euthum ymlaen i Delhi, lle daeth Ianto ataf. Roeddwn yn falch fod y plant wedi etifeddu fy ysfa i deithio; yn nes ymlaen yn y flwyddyn aeth Ianto ar ei ben ei hunan i'r India, a'r flwyddyn cynt bu Guto ym Mecsico a Guatemala. Aeth Ianto a minnau i Jaisalmer – dinas ryfeddol ei phensaernïaeth – ac yna ar draws Diffeithwch Thar ar gefn camelod, profiad hynod boenus. Teithiasom o Jaisalmer i Varanasi, a diflastod i Ianto oedd ei gweld hi'n nosi am yr ail dro ar yr un siwrne. A ninnau heb logi gwelyau, rhyfeddod oedd parodrwydd milwyr Indiaidd i gynnig eu gwelyau i ni – anodd credu y byddai milwyr Prydeinig mor barod i gynorthwyo teithwyr o'r India.

Roedd y daith o'r orsaf i Varanasi yn gyffrous. Teithiem mewn *auto rickshaw* – dull o deithio roeddwn yn dod yn gynyddol hoff ohono. Yr heol oedd y Grand Trunk Road erchyll ei thraffig, ond medrai'r gyrrwr rywsut grebachu'i gerbyd. Roedd Varanasi yn hynod. Eisteddem ar y *ghat* yn gwylio cyrff yn cael eu llosgi wrth i'n pennau gael eu tylino. Euthum i Bodh Gaya, lle'r honnir i'r Buddha gael ei ddatguddiad ysbrydol (Bodhimaṇḍala), a lle roedd pob gwlad Fwdistaidd wedi codi teml goeth. O Vanarasi, teithiom mewn bỳs i Nepal. Arhosom mewn gwesty lle dywedodd y perchennog fod ei dad yn bwyta gafr gyfan bob wythnos. Aethom ati i ddringo bryn i gael gwell olygfa o Annapurna;

gan fod Ianto, â'i gwrteisi cynhenid, wedi dysgu Nepali elfennol, cyfarchai bawb ar y ffordd yn yr iaith honno. Gofynnodd rhywun i mi: 'Why does your son speak such beautiful Nepali?'

Erbyn hynny, roedd Ianto wedi blino ar drenau a bysiau, a mynnodd mai hedfan y byddem i Delhi. Mae'r siwrnai mewn awyren yn dilyn crib yr Himalaya ac yn cynnig golygfeydd ysblennydd. O Delhi aethom i Agra, a gweld adeilad gwych y Taj Mahal, sy'n safle treftadaeth byd. Ond rhaid cofio mai bedd ydyw ac roeddwn wrth fy modd fod yr un statws wedi'i roi i Flaenafon, man sy'n symbol o ddechrau rhywbeth, yn hytrach na symbol o ddiwedd rhywun. Wedi i ni ddychwelyd i Delhi aethom i weld *Son et Lumière* yn y ddinas. Roedd hi'n oer, ac wrth fy ngweld yn gwthio'r *Times of India* o dan fy nillad (mae papur yn insiwleiddiwr rhagorol), cymerodd Ianto arno nad oedd yn fy adnabod. Hedfanodd yn ôl i Gymru, a chan ei bod yn daith hir a blinedig, aeth i gysgu ar y bỳs adre. Dihunodd yn Sarn a bu'n rhaid i Janet ei gasglu oddi yno.

Ar ôl iddo adael, sylweddolais nad oeddwn wedi gweld dim o ogledd-orllewin a gogledd-ddwyrain India. Felly, euthum i Fatehpur Sikri a Simla, ac ar y trên hyfryd oddi yno i Amritsar. Dymunol oedd mynd i droed yr Himalaya ym Manali ac ymlaen i Jammu; ysywaeth, doedd dim modd teithio oddi yno i dref enwog Srinagar gyda'i chyfoeth o gychod preswyl.

Fy rheswm pennaf dros fynd i'r India oedd er mwyn gweld Kolkata, gan i mi glywed cymaint am y ddinas gan Amyia, fy nghyfaill yng Nghaergrawnt. Ysywaeth, doedd e ddim yno ond cefais flas mawr ar y ddinas, pe bai dim ond oherwydd y cyfle mae'n ei gynnig i werthfawrogi gwir arwyddocâd tyrfaoedd. Diddorol yw cofeb Lewis Pugh o Aber-mad yn y gadeirlan yno: 'His body was returned to the land of his fathers, to Llanbadarn Fawr in Wales.' Euthum o Kolkata ar y trên hudolus i Darjeeling, lle cefais lety yn y Planters' Club. Roedd gennyf fy nhân a'm bwcedi glo fy hun ac roedd gweision y lle mewn gwisgoedd *maharaja*. Diddorol oedd mynd i'r llyfrgell i weld pa lyfrau a ddarllenai'r aelodau pan oedd y clwb yn ei anterth. Roedd hi'n amlwg mai'r ffefrynnau oedd nofelau Warwick Deeping. Gyda llaw, sylwais ym mhlastai Berlin mai ef hefyd oedd hoff awdur aelodau o deulu'r Kaiser; rhyfedd sut y mae ffefryn un genhedlaeth yn cael ei anghofio'n fuan.

O Darjeeling euthum i Sikkim, a chwrdd ag aelod o lywodraeth Bhutan a oedd yn hebrwng ei fab i un o'r ysgolion lled-Etonaidd sy'n britho broydd mynyddig yr India. Yr oedd am i mi ymweld ag ysgol ei fab gan y credai nad oedd yr un o'r disgyblion yno wedi cyfarfod â'r hyn a alwodd yn 'Sais o'r crud'. Gan i mi deimlo nad oedd hynny'n ddisgrifiad ohonof, nid euthum i'r ysgol. Gwahoddodd fi i ymweld â Bhutan ond wedi i mi ddarganfod bod angen cyfnewid swm sylweddol o ddoleri bob dydd yno, gwrthodais y gwahoddiad. Yr wyf wedi difaru am hynny oherwydd prin yw'r Cymry Cymraeg sydd wedi bod yn Thimphu.

Wedi i mi ddychwelyd i Kolkata, euthum i'r fynwent lle claddwyd Thomas Jones, cenhadwr y Methodistiaid Calfinaidd ym Mryniau Khasia. Roeddwn wedi darllen ei hanes yn llyfr ardderchog Nigel Jenkins, *Gwalia in Khasia*. Disgrifiodd Nigel y trafferthion a gafodd ef wrth sicrhau caniatâd i fynd i Fryniau Khasia ond deallais fod yr ardal, ganol y nawdegau, yn agored i dramorwyr. Euthum yno, gan ddefnyddio cyfrol Nigel fel tywyslyfr. Yn Shillong cefais wybod bod y gwaith yn cael ei gyhoeddi fel cyfres mewn papur lleol, ac es i weld y golygydd. Dywedodd yntau: 'Do you know your archdruid is in town?' Ymwelais â gwesty'r Polo Towers ac yno cefais frecwast gyda Dafydd Rowlands,

T. James Jones a Tegwyn Jones. Euthum hefyd i Cherrapunji, y lle gwlypaf yn y byd, yn ôl y sôn. Edrychais ar fedd Freddie Bach, mab i genhadwr; cefais de a gwylio'r rhaeadrau a lifai i lawr y bryniau i dir gwastad Bangladesh. 'Dry season rain,' meddai'r gweinydd. Does ryfedd fod Nigel, yn ei ryddiaith odidog yn nodi: 'Pincered between the lethal surges of the Bay of Bengal and the annual deluge of monsoon water, much of it draining off the Khasi Hills, these coastal Bangladeshis are seasoned precisians of life's murderous whimsicality.'

Dychwelais i Delhi ac yna adref. Rhyfedd, ar ôl tyrfaoedd Kolkota oedd bod yn strydoedd hanner gwag Caerdydd, a'm gobaith o hyd yw ailymweld â'r India. Ond roedd gennyf waith i'w wneud; roeddwn yn gobeithio cael cyfle i ddarlledu, pe bai dim ond i sicrhau rhywfaint o arian i dalu am fy nheithiau. Bûm ar nifer o raglenni yn y nawdegau, a'r un a roddodd y pleser mwyaf i mi oedd sylwebu ar ganlyniadau Refferendwm 1997. Yr oeddwn wedi bod yn yr Alban yr wythnos cynt, lle roedd y bleidlais gadarnhaol yn gwbl amlwg. Roeddwn yn amau nad felly y byddai yng Nghymru ac roedd y canlyniadau cynnar yn dra siomedig. Ond fe wnaeth y sylwebydd craff Vaughan Roderick ein rhybuddio ei bod yn rhy gynnar i ddod i gasgliad pendant. Roeddwn wedi cyflwyno sawl rhaglen a gyfarwyddwyd gan ei dad, yr annwyl Selwyn. Bu ef hefyd yn athro dros dro yn Ysgol Gynradd Bryn-mawr ac roedd wrth ei fodd yn clywed Janet – ei hoff ddisgybl, chwedl yntau – yn cofio ac yn ailadrodd ei sylwadau ef ynglŷn ag arwyddocâd y Gymraeg.

Ond 'nôl at y rhaglen. Roedd tensiynau noson y refferendwm yn ddirdynnol ond nodais fod y bleidlais 'Ie' yn cynyddu wrth i'r canlyniadau ymwneud fwyfwy ag ardaloedd Cymraeg, ag ardaloedd Llafur ac ag ardaloedd lle trigai canran uchel o bobl a anwyd yng Nghymru. Diddorol yw nodi bod y bleidlais 'Ie' yn uwch ym Mlaenau Gwent

(54.6%) nag ydoedd yn Ynys Môn (50.9%). Roedd y tri ffactor arwyddocaol a grybwyllwyd gennyf yn gryf yn Sir Gaerfyrddin. Mentrais awgrymu i mi fy hunan mai yno y byddai'r mater yn cael ei setlo ac felly y byddai cymesuredd twt i'r stori, gan y gellid dadlau mai buddugoliaeth Gwynfor Evans yng Nghaerfyrddin yn 1966 a roddodd ddatganoli ar yr agenda yn y lle cyntaf. Pan ddaeth y canlyniad terfynol, llefais ar y teledu mewn llawenydd a chamddyfynnu Wordsworth: 'Bliss is it at this morn to be alive, but to be middle-aged is very heaven.' Pwysleisiais y canol oed gan mai pobl ganol oed oedd yn cofio 1979 ac yn annhebyg o fyw i brofi cyfle arall. Cerddais yn ôl o Landaf i Bontcanna pan oedd y wawr yn torri; ac roedd y wawr yn torri yn wir. Fodd bynnag, gogleisiol oedd clywed Ffrancwr yn mynegi ei syndod fod raid i'r Albanwyr fodloni ar *parlement*, tra bod y Cymry, pobl lai hyderus eu hunaniaeth na'r Albanwyr yn ei farn ef, yn cael eu hanrhydeddu ag *assemblée*.

Erbyn 1998, roedd hi'n edrych yn debygol y byddai'r tîm a enwyd eisoes yn gorfod cario'r baich o lunio'r Gwyddoniadur. Cyn i'r gwaith ddechrau, credais mai da o beth fyddai mynd ar daith hir mewn awyren, cyn i'm casineb at hedfan fy llethu'n llwyr. Yn 1999 penderfynais hedfan o gwmpas y byd, ond cyn i mi wneud defnydd o'r tocyn, daeth yr hanes am helynt Ron Davies. Roedd pawb yn siarad am y mater a chlywais beth wmbreth o gilwenu maleisus. Rwy'n amau a fyddai sgyrsiau o'r fath wedi digwydd os mai hilyddiaeth neu wrth-semitiaeth fyddai'r pwnc dan sylw ond roedd hi'n amlwg bod sarhau pobl amwys eu rhywioldeb yn dderbyniol gan y lliaws. Teimlais y dylwn ddweud: 'Cofiwch, rydych yn siarad amdanaf i a'm siort.' Ond aros yn dawel a wneuthum, nes i mi gael gwahoddiad gan *Barn* i lunio erthygl ar wleidyddiaeth gyfoes Cymru. Dyma gyfle, meddyliais, i mi ddatgelu'r gwir amdanaf fy hun. Gan fod

Ron Davies, prif arwr datganoli, yn cael ei bardduo, credais mai da o beth fyddai nodi nad pobl a oedd yn ymdrybaeddu mewn trythyllwch (a dyfynnu'r Ficer Prichard) oedd pawb a oedd yn amwys eu rhywioldeb. Ysgrifennais erthygl ar y pwnc a chefais wahoddiad i gael fy holi ar y teledu gan Tweli Griffiths. Roedd Janet o blaid yr erthygl gan fod pob gair yn cael ei ystyried yn ofalus, ond credai fod rhywbeth mwy ffwrdd-â-hi ynglŷn â chyfweliad teledu. Ni wyliais y rhaglen gan fy mod erbyn hynny wedi defnyddio fy nhocyn ac wedi glanio yn Washington.

Cefais flas ar Washington ond des i'r casgliad fod ei chanol yn llai trawiadol na chanol Caerdydd. Cefais bob cyfle i ymweld â'r Capitol, y Tŷ Gwyn a'r Goruchaf Lys heb i neb ofyn am ddogfennau – roedd hyn cyn 2001. Euthum i Chicago, dinas hynod anghyfeillgar, er mai diddorol oedd gweld y llun *American Gothic* gan Grant Wood a gwerthfawrogi ffrwyth cyfnod cynharaf pensaernïaeth fodern.

Gan fy mod wedi gweld Niagara Falls, y Keys, yr Everglades a'r Cascades, roeddwn yn awyddus i weld prif ryfeddod cefn gwlad yr Unol Daleithiau – y Grand Canyon. Ni sylweddolais faint o ffordd ydoedd o Illinois i Arizona, a theimlwn fy mod wedi bod ar y trên am hydoedd drwy ardaloedd hynod anniddorol wrth deithio o Chicago i Flagstaff. Roedd y Grand Canyon yn wefreiddiol, yn enwedig dan eira. Honnid ei bod yn dwymach ar waelod y ceunant ond peryglus fyddai mynd yno ar hyd y grisiau rhewllyd; felly bodlonais ar edrych o'r ymyl ar yr olygfa ryfeddol. Euthum ymlaen i Los Angeles a mynd i gaffi rhyngrwyd. Rhaid bod pobl wedi cael gafael ar fy nghyfeiriad e-bost, gan i mi dderbyn nifer o negeseuon yn dilyn f'erthygl. Roedd un yn fy annog i droi at Grist a dau yn dweud bod eu hawduron yn barod i barhau i fod yn gyfeillgar â mi, a derbyn y byddwn yn cyfaddef fy mod ar gyfeiliorn. (Mae cyfaddef yn air amherthnasol yn y cyd-destun hwn; rydych yn cyfaddef i drosedd, ond yn cydnabod cyflwr.) Diolch oedd testun trwch y negeseuon, ac roedd y negeseuon hynny'n brawf fod fy sylwadau wedi rhoi gobaith a hyder i nifer o'm cyd-wladwyr, mater sy'n destun balchder mawr i mi.

O Los Angeles, croesais y cyhydedd yn y nos – yr amser gorau i hedfan – a glanio yn Auckland. Dotiais at Seland Newydd. Roedd pawb yn hynod gyfeillgar ond roedd tystiolaeth o hoffter y trigolion o rygbi ym mhobman, gyda'r Ddraig Goch yn cyhwfan ym mhob gwersyll ac engrafiadau o Stadiwm y Mileniwm ar wydr gorsafoedd bysys. Pan ddarganfuwyd fy mod yn Gymro a oedd yn amddifad o unrhyw ddiddordeb mewn rygbi, y sylw a glywn yn gyson oedd: 'Ond mae'n rhaid eich bod yn aelod o gôr meibion.' O ddweud nad oedd gennyf unrhyw ddiddordeb mewn canu, llawn mor gyson oedd y sylw: 'I did not think there was anything else.' Atebwn: 'Yes, there is; we have the Newport Transporter Bridge.' Arhosais am rai nosweithiau mewn ffermdy ger Dunedin; roedd ei berchennog yn treulio pob mis Rhagfyr (ein mis Mehefin ni) yn cneifio yng Nghymru, a rhyfeddod oedd trafod enwau ffermydd ardal Tregaron ym mhen draw'r byd.

Nos Nadolig roeddwn ar Ynys Stewart, i'r de o Ynys y De, a hyfryd oedd eistedd y tu allan i westy yng ngolau'r haul am hanner awr wedi deg y nos. Dychwelais i Ynys y De ac ymweld â dinas Christchurch, lle hyfryd ond, ysywaeth, mae rhannau ohoni bellach wedi'u dinistrio gan ddaeargryn. Yno, cyfarfyddais â ffermwr, a bûm yn aros ar ei fferm ar Wastadeddau Caer-gaint (Canterbury Plains); cefais hefyd gyfle i fynd i weld y morfilod ger yr arfordir. Yna, croesais i Ynys y Gogledd a hedfan o Auckland i Melbourne, lle roedd yr eglwys Gymreig yn ganolbwynt y ddinas. Ymwelais â Sydney, a bûm yn astudio'r rhestr o'r alltudion yn Amgueddfa'r Trawsgludiad. Syndod oedd gweld mai John Davies oedd enw cyfran helaeth ohonynt. Roedd yr Awstraliaid yn hynod gyfeillgar ond pan oeddwn yn Canberra ar Ddiwrnod Awstralia, gwelais agwedd arall ar gymeriad rhai ohonynt. Roedd grŵp o ddisgynyddion y bobl gynhenid wedi codi canolfan brotest o flaen y Senedd, a daeth nifer o ddynion o dras Ewropeaidd a gweiddi arnynt: 'Go home, you black bastards.'

Teithiais i ogledd Queensland, lle gwelais fforest law drofannol am y tro cyntaf. Man hyfryd yw Cairns; yno y cyhoeddwyd bod Blaenafon yn safle treftadaeth byd, ac mae'r dref yn sefyll wrth droed Mynydd Bartle Frere, a enwyd ar ôl imperialydd o Gilwern. O Cairns, euthum i weld y Great Barrier Reef, sy'n sicr yn un o ryfeddodau mawr y byd. Ar y ffordd yn ôl, aeth y llong trwy haid o *salties* (crocodeiliaid sy'n byw mewn dŵr hallt) ac roedd golwg bur sarrug arnynt. Wrth fynd ar *ecotour*, darganfu'r tywysydd *duck-billed platypus*, sy'n sicr yn edrych yn anifail od iawn, a hefyd *emu*, aderyn y mae'n anodd credu ei fod yn bodoli.

Siwrne faith yw'r daith o Queensland i Alice Springs, ond diddorol oedd gweld calon goch Awstralia a chrwydro'r ceunentydd niferus sydd yno. Roedd gennyf gydymdeimlad â'r penbyliaid a oedd yn sicr o farw wrth i wres tanbaid canol dydd sychu'r pyllau y ganwyd hwy ynddynt. O Alice Springs euthum ar y trên i Adelaide. Y rheilffordd yw'r Ghan, a gafodd yr enw oherwydd ei bod wedi'i hadeiladu gyda chymorth camelod o Afghanistan. Yn wir, gellir gweld disgynyddion gwyllt y camelod gwreiddiol trwy ffenestr y trên. Araf oedd teithio ar y Ghan ond roedd yn llawer iawn arafach yn y gorffennol. Dywedir i ddynes bwyso ar y gyrrwr i gyrraedd Adelaide cyn gynted ag yr oedd modd gan ei bod ar fin rhoi genedigaeth. Meddai ef: 'Ni ddylech ddal y trên pan ydych yn feichiog', a'i hateb hi oedd: 'Doeddwn i ddim yn feichiog pan ddalais i'r trên.' Un o'm cyd-deithwyr oedd myfyriwr a oedd yn dysgu Maleieg. Roedd yn argyhoeddedig mai'r unig ddyfodol i Awstralia oedd cydnabod bod ei thrigolion yn byw mewn gwlad yn ne-ddwyrain Asia ac y dylent roi'r gorau i hiraethu am yr ymerodraeth. Roedd yn frwd o blaid y mudiad gweriniaethol, a oedd â'r slogan bachog 'Resident for President'. Cynhaliwyd refferendwm ond gan na chafodd y boblogaeth sicrwydd mai nhw fyddai'n penderfynu pwy fyddai'n arlywydd, ni fu'n llwyddiant; fodd bynnag, diddorol yw nodi bod prif weinidog diweddar – dynes o'r Barri yn wreiddiol – wedi mynegi awydd i ailgodi'r pwnc.

O Adelaide, euthum ar y trên i Perth. Roedd y siwrne fel petai'n mynd ymlaen am byth: yr un oedd yr olygfa pan oedd hi'n nosi â phan oedd hi'n goleuo, ac âi'r rheilffordd ymlaen am filltiroedd lawer yn gwbl syth. Cafodd y teithwyr y cyfle i fynd o gwmpas mwynfeydd aur Kalgoorlie, a diddorol oedd gweld mai enw perchnogion y mwynfeydd oedd Sons of Gwalia. Yn Perth, euthum i fyny afon Swan i ymweld â gwinllannoedd Gorllewin Awstralia, a hyfryd oedd gwylio cangarŵod yn prancio ar lan yr afon. Roedd modd mynd i lawr yr afon i Fremantle, lle roedd y Cappuccino Strip yn hynod foethus.

Hedfanais o Perth i Singapore – gwladwriaeth ryfedd, yn fy marn i. Y lle yr hoffais fwyaf oedd y caffi lle roedd pobl yn dod â'u caneris caeth bob bore Sul er mwyn iddynt ganu i'w gilydd. Roedd awyrgylch ormesol yn Singapore ac roedd yn hynod o lân a thaclus; diolch byth, roedd yr ardal Indiaidd yn ddymunol o flêr. Hyfryd oedd y siwrne mewn bỳs i Kuala Lumpur ac ymlaen i Wlad Thai. Yn Phuket, cefais brofiad a oedd yn bur ddieithr i mi, sef pwl o Biwritaniaeth; efallai y dylwn gael y fath brofiad yn amlach. Dychwelais i Kuala Lumpur ac oddi yno hedfan i Amsterdam ac yna i Gaerdydd. Dyna'r tro cyntaf i mi fwynhau taith mewn awyren. Cychwynnais ben bore a bu'r haul yn tywynnu trwy'r dydd. Doedd dim cymylau ac roedd hedfan dros yr India, Arabia, Sudan a'r Aifft, a gweld y byd odanaf yn wefreiddiol. Croesom y Môr Du, lle roedd rhew'r gaeaf yn dal o gwmpas y Crimea. Roedd yr Awstraliaid ar yr awyren yn rhyfeddu pa mor agos at ei gilydd yr oedd dinasoedd Ewrop. Hyfryd oedd cyrraedd Pontcanna ar ôl bod i ffwrdd am dros bedwar mis.

Toc ar ôl i mi ddychwelyd, soniodd Janet cymaint yr oedd hi wedi mwynhau cael y tŷ iddi hi ei hunan cyhyd, a dywedodd y byddai'n hoffi i honno fod yn drefn barhaol. Doedd ei geiriau ddim yn fy synnu gan iddi ddweud droeon mai tŷ iddi hi ei hunan a'r modd i'w gynnal oedd ei delfryd. Roedd byw ar fy mhen fy hunan yn dderbyniol i mi hefyd. A minnau'n gosod plât o siocled ger fy ngwely er mwyn gweld llygod bach yn dringo i fyny i'w fwyta – golygfa sy'n fy llonni'n nosweithiol – does dim syndod nad oes neb am rannu tŷ gyda mi. Felly, aethom ati i sicrhau bod gan y ddau ohonom dŷ yr un. Roeddem wedi bod yn sôn ers tro am werthu'r tŷ yn Heol Conwy gan fod ymadawiad y plant yn golygu nad oedd arnom angen tŷ a chanddo bum ystafell wely, ac y byddem yn frasach ein byd drwy fod yn ddi-forgais.

Wrth aros i werthu ein tŷ, llwyddasom i brynu tŷ i Janet yn Grangetown. Gwelaf fod Bruce yn cynnig 'maenor' fel y gair Cymraeg am *grange*, a dyna hefyd y ffurf a ddefnyddir gan Ddinas Caerdydd. Ond cartref dros dro oedd yr adeilad gwreiddiol ar ochr orllewinol aber afon Taf, ffermdy pellennig Abaty Margam lle byddai gweision yr abaty'n treulio rhan o'r flwyddyn yn gwarchod yr anifeiliaid a borai ar y gweundir yno. Roedd nifer o gartrefi dros dro ar fryniau Ceredigion, a lluestai oedd y gair amdanynt hwy. Felly, Trelluest yw'r enw Cymraeg a ddewisais am

Grangetown, a dymunol yw gweld bod yr enw'n ennill ei blwyf. Cynhwysa Trelluest ddwy asgell wedi'u rhannu gan Heol y Gorfforaeth; roedd yr asgell ddwyreiniol yn rhan o ystad Bute, ac enwau glofeydd yr ystad – Ystrad, Aber, Bargoed ac ati – sydd ar y strydoedd. Rhan o ystad Sain Ffagan oedd yr asgell orllewinol ac enwau ffermydd Sain Ffagan, yn eu plith Pentre-baen a Rhydlafar, sydd ar gyfran o strydoedd yr asgell honno. Yr oedd Janet wrth ei bodd fod ei thŷ hi yn Heol Clydach, er mai coffáu glofa yn y Rhondda, ac nid y Clydach go-iawn, y mae'r enw.

Credem y byddai digon o elw o'r tŷ yn Heol Conwy i mi brynu tŷ yn Nhrelluest hefyd. Diddorol yw'r ffaith fod mwy o Gymry Cymraeg wedi dod i weld ein tŷ yn Heol Conwy nag a ddaeth i weld ein tŷ yn Nryslwyn. Tra oedd ar werth, symudais i'r fflat yn Aberystwyth. Gwerthwyd y tŷ yn Heol Conwy ond cyn i mi brynu eiddo yn Nhrelluest, gwelais hysbyseb am dyddyn yn Nyffryn Paith, ger Aberystwyth, lai na milltir o'r fan lle bu fy nhad-cu yn was fferm dros ganrif ynghynt. Lle digon amrwd ydyw'r Gors Uchaf; mae ynddo drydan, ond dim ond un ystafell wely; rhaid talu £96 y mis o dreth ond does dim heol ddibynadwy'n mynd ato, ac absennol yw carthffosiaeth a dŵr tap. Ond fe'i hamgylchir gan bum erw o dir ac felly roedd yn cynnig ateb i'm dymuniad i fod yn berchennog gardd helaeth. Rhinwedd arall i'r lle oedd fod tafarn, Tafarn y Gors neu'r New Cross – lle a chanddo enw da am fwyd – ar draws y cae. Bu'r tyddyn yn eiddo am ddeunaw mlynedd i Mr a Mrs Page, pâr o Loegr a alwent eu hunain yn *hippies*. Teimlais fod Mrs Page yn dyheu am gael mwy o gysur ond bod Mr Page am aros yno; pwysleisiodd ei fod wedi plannu digon o goed o gwmpas y tŷ i fod yn gynnes am weddill ei oes. Pryderais a ddylwn brynu ail dŷ yng nghefn gwlad ai peidio ond gan fod y Gors Uchaf wedi bod ar werth ers dwy flynedd, a'i fod yn anaddas fel cartref teulu, diflannodd fy mhryderon. Prynais y Gors Uchaf, a daeth Janet gyda mi yno i gyfarfod â Mr a Mrs Page ar ddiwrnod cyntaf yr unfed ganrif ar hugain. A minnau dipyn dros fy nhrigain, roeddwn yn cychwyn ar antur newydd.

Y Gors a Threlluest

Blynyddoedd Cynnar
yr Unfed Ganrif ar Hugain

PRIF LAWENYDD BLYNYDDOEDD cynnar yr unfed ganrif ar hugain oedd cael wyrion ac wyresau. Y cynharaf i ddod yn rhiant oedd Guto. Credais mai ei foddhad mwyaf oedd cerdded y bryniau (mae wedi dringo bron y cwbl o Fryniau Brychan), ond ei brif ddiddordeb yw cerddoriaeth boblogaidd – diddordeb, mae'n rhaid i mi gyfaddef, na rannaf ag ef. Guto, bellach, yw rheolwr Clwb Ifor Bach yng Nghaerdydd ac mae ganddo ddyletswyddau ym Maes B yr Eisteddfod Genedlaethol. Daeth yn gyfeillgar â Petra – merch, fel mam Guto, sydd â'i gwreiddiau ym Mlaenau Gwent. Er yn eithriadol fregus ei hiechyd, roedd hi'n awyddus iawn i gael plentyn. Ganwyd mab i Petra a Guto ar 2 Mawrth 2003. Ef, Conor Isak, yw'r hynaf o'n hwyrion; mae bellach yn un ar ddeg mlwydd oed ac ar ei flwyddyn gyntaf yn Ysgol Uwchradd Glantaf. Mae'n blentyn anhygoel o annwyl ac mae ei hoffterau yn dderbyniol iawn i mi. Ymhyfryda mewn hen bethau ac mae ganddo ddiddordeb mawr mewn creaduriaid. Gwnaeth gasgliad o benglogau defaid ac mae wedi'i roi i mi.

Y nesaf i epilio oedd Anna. Bu hi'n gwneud ymchwil ar lenyddiaeth Almaeneg ond ei chamgymeriad oedd dewis awdur a oedd yn dal yn fyw. Roedd hi hanner ffordd drwy feistroli'r pwnc pan aeth ei hawdur ati i ysgrifennu nifer o weithiau newydd. Bu'n gweithio i Blaid Cymru, i'r Coleg Celf yn Kensington ac yna daeth yn brif weithredwr Undeb Prifathrawon Cymru. Ar hyn o bryd, mae'n arwain ymgyrch i ddyrchafu lefelau llythrennedd yng Nghymru. Tra oedd gyda Phlaid Cymru, daeth i adnabod Ian Titherington a fu'n ymgeisydd i'r blaid honno yng Ngorllewin Abertawe. Fe sy'n gofalu am system ddraenio Caerdydd ac felly roeddwn yn iawn yn credu y byddai Anna'n ymserchu mewn peiriannydd dŵr. Mae Ian yn frodor o Sgeti; roedd hynafiaid ei dad yn dod o Lerpwl ac roedd gwreiddiau ei fam yn Nhreorci. Yn wir, roedd hi'n un o Ddafisiaid Heol Dumfries, ond does dim tystiolaeth ei bod yn perthyn i'm Dafisiaid i. Mae Ian yn or-nai i Donald Davies, y gwyddonydd a sicrhaodd fod cyfrifiaduron yn medru cysylltu â'i gilydd; hyfryd oedd mynd gydag ef i Dreorci i ddadorchuddiad plac glas i'w hen ewythr. Priododd Anna ac Ian yng Ngwesty'r Marine yn Aberystwyth ym mis Tachwedd 2002 ac aethant ar fis mêl i Giwba. Mae ganddynt dri o feibion: Mabon Brychan Titherington (2005), Llywelyn Brychan Mackenzie Titherington (2008) a Iestyn Brychan Josua Titherington (2010). Yr wyf yn dotio arnynt i gyd a hyfryd yw eu gweld yn eu tŷ yn Nhrelluest. Ymddengys mai prif ddiddordeb Mabon a Llywelyn yw gêmau prif glybiau Uwchgynghrair Lloegr ond rwyf wedi argyhoeddi fy hunan mai'r hyn sy'n eu denu yw seiliau mathemategol y sgoriau. Fodd bynnag, mae Mabon yn dangos bod ganddo dalentau fel bardd ac mae gan Llywelyn ddoniau artist. Clywais fod Anna'n disgwyl Iestyn pan oedd Janet a mi'n cael swper yn yr eira mewn bwyty yn Ravenna. Mae ef bellach yn bedair oed ac mae gennyf y gobeithion uchaf ynglŷn ag ef.

Ar ôl amrywiaeth o swyddi aeth Beca i wneud cwrs ymarfer dysgu ac ar hyn o bryd, mae'n bennaeth yr Adran Hanes yn

Ysgol Uwchradd Dyffryn Conwy. Mae'n byw gyda Trystan Llwyd Evans mewn tŷ hyfryd yng Nghaernarfon, mewn man sy'n cynnig golygfa wych o'r castell. (Mae'r castell hefyd yn cynnig golygfa wych o'u tŷ hwy.) Mae Trystan yn syrfëwr gyda Chymdeithas Tai Eryri ac mae ganddo ef a Beca ddwy ferch, Elin Llwyd Brychan (2006) a Mared Llwyd Brychan (2010). Yr wyf wedi dotio ar fy wyresau ac un o brif bleserau fy mywyd yw mynd i Gaernarfon i'w gweld hwy a Beca a Thrystan. Tristwch i mi nad wyf yn eu gweld yn gyson ond maent yn groesawgar iawn pan gaf gyfle i'w cyfarfod. Mae ganddynt garafán ac maent yn cael amser hyfryd yn Aberdaron, lle mae Conor hefyd wrth ei fodd.

Gweithio i Lenyddiaeth Cymru y mae Ianto a does dim tystiolaeth ei fod yn epilio hyd yn hyn. Cyfeilles agos iddo yw'r ddarlledwraig ddawnus Yvonne Evans. Mae hi'n frwd ynglŷn â rygbi ac mae Ianto'n dilyn pêl-droed – ei hoff dîm yw Crystal Palace, gan mai dyna oedd enw'r dafarn a fynychai yn Aberystwyth. Rwy'n mawr obeithio na fydd anghydfod ynglŷn â gêmau pêl yn amharu ar eu perthynas hyfryd.

Daeth pleserau eraill i'm rhan. Anrhydeddau arbennig oedd cael fy nerbyn i'r wisg wen yng Ngorsedd y Beirdd, cael fy newis yn Athro er anrhydedd ym Mhrifysgol Aberystwyth, ennill Gwobr Glyndŵr Gŵyl Machynlleth, cael fy ethol yn aelod o Gymdeithas Ddysgedig Cymru, dod yn Gymrawd er anrhydedd o'r Coleg Cymraeg Cenedlaethol ac ennill gwobr Llyfr y Flwyddyn yr Academi Gymreig am *Hanes Cymru* a Llyfr y Flwyddyn Llenyddiaeth Cymru am *Cymru: y 100 lle i'w gweld cyn marw*. Ar lefel lawer mwy dibwys, cefais flas ar ennill cystadleuaeth yn y *New Statesman*. Anfon i mewn sylw o gylchgrawn a wnes, a hynny i golofn 'This England', teitl na thwymais ato gan fod y *New Statesman* yn honni ei fod yn gylchgrawn i Brydain gyfan. Y flwyddyn oedd 1964 ac o'r *Exchange and Mart* y daeth y sylw: 'Titled lady selling a billygoat; election of Labour government sole reason for sale.' Yr oedd aelodau o'r teulu brenhinol yn medru bod yn llawn mor adweithiol. Cymaint syndod George V o dderbyn neges radical gan Lloyd George nes peri iddo ysgrifennu 'Balls' ar ymyl y ddalen. Roedd yn air anurddasol yn ôl ei ysgrifennydd a newidiodd ef y sylw i 'Round Objects'. Derbyniodd y brenin neges gan Lloyd George yn gofyn: 'Who is Round, and why does he object?'

O ailddarllen y paragraff blaenorol, sylweddolaf fy mod wedi hen gyrraedd fy *anecdotage*; felly, dylwn dewi'n fuan, ac mi wnaf cyn hir.

Gan fod Janet, Anna a'i meibion, Guto a'i fab, ac Ianto yn byw yng Nghaerdydd, roeddwn yn clywed yn gyson am y bwrlwm teuluol. O'r herwydd, teimlwn yn ynysig yn Aberystwyth; felly, gwerthais y fflat yno a phrynu tŷ yn Nhrelluest. Roedd anfanteision i hynny gan nad oedd bellach gyfle, pan fyddai'r tywydd yn braf, i fynd am awr neu ddwy i weithio yn yr ardd yn y Gors. Diflas hefyd yw colli cysylltiad agos gyda bwyty hyfryd Gannets. Yn ogystal, roeddwn yn gweld eisiau'r gwmnïaeth yn y Cŵps, yn enwedig y sgyrsiau difyr gyda'r peniog Richard Wyn Jones a'm perthynas Gareth Lewis. Bu Brendan a Glynis Somers yn y Cŵps yn garedig tuag ataf, a phan aethon nhw i drafferthion, roeddwn yn barod i'w cynorthwyo. Fodd bynnag, mi ddes i'r casgliad mai sylwadau callaf un o gymeriadau Shakespeare yw sylwadau Polonius.

Ond mân golledion yw'r rhain o'u cymharu â'r pleser o fod yn ôl yng nghwmni'r teulu. Mae cyfran helaeth o'r plant a'r wyrion o fewn cyrraedd taith gerdded fer o'm tŷ, ac mae byw ger Gerddi Lluest yn rhoi'r cyfle i mi ddod yn fwy cyfarwydd â Threlluest. Rwyf wedi dod yn fwyfwy hoff o'r faestref honno. Ceir dihareb yng nghanolbarth Lloegr sy'n awgrymu mai'r bobl sydd wedi methu mewn bywyd yw'r rheini sy'n mynd *from clogs to clogs in one generation*, ac fe'i dehonglwyd fel disgrifiad o rywun a godwyd mewn tŷ teras ac sy'n debyg o farw mewn un. Os felly, mi fûm i'n fethiant, gan fod y tŷ sydd gennyf nawr o'r un maintioli yn union â'r tŷ y codwyd fi ynddo yn Nhreorci. Mae gennyf gyfeillion o Gwm Taf sy'n ymffrostio bod eu tai yng ngogledd Caerdydd yn llawer crandiach na thai eu plentyndod, ond dirmyg sydd gennyf tuag atynt. Gwell o lawer yw byw yn Nhrelluest nag ym Mhen-y-lan. Mae Ian a minnau'n ymwelwyr cyson â thafarn ddymunol y Cornwall ac mae'r croeso ym mwyty Merola's bron cystal ag ydyw yn Gannets. Clarence Hardware yw'r haearnwerthwr gorau yng Nghymru ac mae bodolaeth y bared yn golygu ein bod yn cael ein harbed rhag llifogydd. I'r rheini sy'n heneiddio, mae tipyn i'w ddweud o blaid ardal wastad; yn wir, mewn degawd mi fydda i'n ystyried y lle yn baradwys i berchennog *zimmer-frame*. Yn ogystal, dymunol yw gwneud defnydd o docynnau bỳs yr henoed sy'n caniatáu i mi deithio am ddim i Fae Caerdydd ac i ganol y ddinas.

Prif apêl Trelluest yw amrywiaeth y bobl sy'n byw yno. Yn wir, yn Nhrelluest fe fedrwch weld y byd i gyd mewn un filltir sgwâr. Pan ddatblygodd yn ail hanner y bedwared ganrif ar bymtheg, ardal y Gwyddyl ydoedd, fel y tystia'r eglwysi a'r ysgolion Catholig sydd yno. Yn yr ugeinfed ganrif daeth yn gartref i Somaliaid, Pacistanis, Iracis, Indiaid a phobl o'r Caribî ac Affrica. Mae Somaliaid yr ardal yn gymuned gref; cyhoeddwyd llyfr amdanynt a dywedwyd mewn rhaglen ar Radio Pedwar fod pawb yn Muqdisho yn gyfarwydd â'r enw Caerdydd. Yn yr un rhaglen, clywyd sylwadau Somali a oedd yn dysgu Cymraeg i bobl o'r un etifeddiaeth ag ef, a bûm yn siarad â dynes â gwreiddiau yn Maharashtra a oedd dyheu i fod yn 'Welsh lady'. Hoffaf arfer fy mab yng nghyfraith o ddilyn y dull Americanaidd o siarad am 'Italian Americans' a 'Muslim Americans' yn hytrach na'r arfer Prydeinig o siarad am 'British Italians' a 'British Muslims'. Dylid rhoi'r flaenoriaeth i'r enw bob amser yn hytrach na'r ansoddair – felly, Cymry Eidalaidd a Chymry Mwslimaidd.

Ac os ceir Iracis, pam ddim Cymracis; dyna'r term a glywais gan gymydog pan glywodd ef fy ngwraig a minnau'n siarad Cymraeg yn Nhrelluest. Mae llu mawr o bobl ifainc Gymraeg eu hiaith wedi symud i'r ardal ac mae'n lle i bendroni dros y cyd-fyw dedwydd sydd wedi datblygu rhyngddynt hwy a'u cymdogion amrywiol. Mae'r cymdogion hynny'n ymwybodol na fyddant yn elfen sofran yn Nhrelluest a dichon fod y Cymry Cymraeg yn ymwybodol o hynny hefyd – yr allwedd, efallai, i'r cyd-fyw llwyddiannus. Credaf fod y Cymry Cymraeg yn Nhrelluest yn gwbl hapus gydag ymfudwyr o ddwyrain Ewrop, de Asia, ac Affrica. Ond maent yn amheus o ymfudwyr sy'n coleddu syniadau UKIP – pobl sy'n credu y dylid sicrhau mai Saeson sy'n sofran ym mhob rhan o'r Deyrnas Unedig. Fodd bynnag, dylid cofio mai Trelluest oedd lleoliad ysgol Gymraeg gynharaf Caerdydd a bod y galw am addysg Gymraeg yno'n cynyddu'n ddyddiol.

Tra oeddwn yn Aberystwyth, ac wedyn yng Nghaerdydd ar droad y mileniwm, fy mhrif dasg oedd gweithio ar y Gwyddoniadur. Roedd yr amserlen yn gofyn i ni orffen y ddwy gyfrol enfawr erbyn 2001. Credid bod ein hanallu i gadw at yr amseriad yn brawf ein bod yn ddiog, neu yn dewis gwneud pethau eraill. Sail yr amserlen oedd y dybiaeth y byddai pob cofnod a dderbynnid yn barod i gael ei gyhoeddi ac mai eu gosod yn nhrefn yr wyddor oedd pennaf dasg y golygyddion. Roedd y dybiaeth yn ddi-sail. Cafwyd ambell gofnod caboledig ond bu angen ailysgrifennu nifer helaeth, os nad y mwyafrif. Ond bwrw ymlaen a wnaethom. Yr oedd yr anhawster yn arbennig o amlwg gyda'r gyfrol Gymraeg a llafur diflino Menna Baines a Pheredur Lynch oedd yn gyfrifol am y ffaith fod y fersiwn Cymraeg o leiaf cystal â'r fersiwn Saesneg.

Bu Nigel Jenkins lawn mor ddiflino wrth iddo lafurio ar yr hyn a alwai'n *Psycho*. Rhyfeddod i mi oedd ei allu i droi brawddegau amrwd rhai o'r cyfranwyr yn rhyddiaith loyw. Byddwn i a Nigel yn cyfnewid o leiaf hanner dwsin o e-byst y dydd, a thristwch dwfn oedd mynychu ei angladd ym mis Chwefror 2014 ac yntau'n ddim ond 64 mlwydd oed. Roedd ganddo dalentau tebyg i dalentau Harri Webb, a oedd hefyd yn frodor o ardal wledig ym Mro Gŵyr. Wrth ymosod ar George Thomas, a ymhyfrydai yn ei wisg fel Llefarydd Tŷ'r Cyffredin, Nigel a luniodd y llinell ogleisiol: 'May his garters garotte him'.

Fy nghyfrifoldeb arbennig i oedd y cofnodion ar gymunedau. Gofynnwyd i gyfranwyr ysgrifennu cofnod ar bob un o gymunedau'r sir yr oeddynt yn gyfrifol amdani ond eu tuedd oedd ysgrifennu'n helaeth ar yr ardaloedd roeddynt yn eu hadnabod ac anwybyddu'r ardaloedd eraill fwy neu lai. Bu'n rhaid i mi ysgrifennu cannoedd o gofnodion o'r newydd. Er bod cymunedau wedi bodoli yng Nghymru oddi ar 1974, doedd nifer o'r cyfranwyr ddim yn ymwybodol ohonynt ac yn ysgrifennu nonsens.

Roeddem yn atebol i Peter Finch yn yr Academi ac i Ashley Drake yng Ngwasg y Brifysgol. A minnau ar y pryd yn dioddef yn sgil sylwadau Paul Starling yn y rhacsyn â'r teitl *Welsh Daily Mirror*, digwyddais ddweud mewn cyfarfod mai'r hyn yr oeddem yn dioddef ohono oedd 'gormod o adar'. Yr unig beth a ddywedaf yw ein bod wedi goddef Drake a Finch, a diau y byddent hwy'n dweud yr un peth amdanaf fi, Nigel, Menna a Pheredur. Cafwyd bygythiad y byddai'r Gwyddoniadur yn cael ei gyhoeddi heb ei olygu a bu'n rhaid i mi ac eraill brotestio'n groch yn erbyn hynny. Dadleuai rhai fod pawb a oedd wedi gwneud cyfraniad a fyddai'n teilyngu cofnod personol iddo ef neu iddi hi yn y Gwyddoniadur wedi gwneud y cyfraniad hwnnw erbyn cyrraedd ei chwedegau. Felly, dylid cynnwys nifer o gofnodion ar bobl oedd yn dal yn fyw. Credem ni y gall yr henoed wneud pethau syfrdanol ac roeddem yn gywir – roedd Gwynfor Evans bron yn saith deg pan fygythiodd ymprydio dros sianel deledu Gymraeg. Felly, penderfynasom mai doethach oedd peidio pwyso a mesur cyfraniad person tan iddo fe neu iddi hi fod yn ddiogel gelain.

Yn 2003 a 2004, buom wrthi'n ddygn ar y cofnodion ac roeddwn yn dechrau anghofio bod angen gwneud pethau fel cysgu a bwyta. Roedd pob argoel y byddem yn dod â'r cwbl i ben erbyn 2005 ond bu'n rhaid i ni ddelio â golygydd allanol na wyddai odid ddim am Gymru. Roedd ef yn mynnu ein bod yn nodi mai ar Barc Howard ac nid ar Barc y Strade y chwaraeai tîm rygbi Llanelli. Ef hefyd oedd yn gyfrifol am y lluniau, a diddorol oedd ei awydd i gynnwys llun o'r prom yn Llandudno, De Affrica. I fynd gyda'r cofnod ar fadau achub, dewisodd lun o fad achub o Dorset. Pan gwynais am hynny, ei ateb oedd: 'Ni fydd neb yn sylwi.' Ond roedd fy mab yng nghyfraith eisoes wedi sylwi a chawsom gymorth gwerthfawr gan ei dad, sy'n treulio'i ymddeoliad yn wyliwr y glannau ym Mro Gŵyr, i sicrhau llun i ni o fad achub a oedd wedi'i leoli yng Nghymru. Gan ein bod yn credu bod angen tynnu sylw at bobl a mannau na chawsent gofnod penodol, daethom i'r farn fod angen mynegai. Roedd yr un a gynigiwyd i ni yn echrydus a bu'n rhaid i ni fynd ati i lunio mynegeion yn Gymraeg a Saesneg; roedd yn waith hynod lafurddwys, a heb gymorth Janet ni fyddem wedi'i gyflawni.

Erbyn 2006, roedd y deipysgrif gyda'r wasg a theimlais y medrem gael egwyl o seibiant. Ond, tra oedd y ddwy gyfrol yn y wasg, holodd Penguin a oedd rhywbeth diddorol wedi digwydd yng Nghymru ers iddynt dderbyn teipysgrif *Hanes Cymru* yn 1986. Dywedais fod ambell beth wedi digwydd yn y wlad hon rhwng 1986 a 2006, a chefais gais am ddiweddariad o'r gyfrol Gymraeg a'r gyfrol Saesneg. Rwy'n ddyledus iawn i Dewi Morris Jones o'r Cyngor Llyfrau am ei gymorth gyda'r diweddariadau. Cyhoeddwyd y ddwy gyfrol yn 2007 a dymunol yw nodi eu bod wedi gwerthu'n dda.

Cyhoeddwyd dwy gyfrol *Gwyddoniadur Cymru yr Academi Gymreig* yn 2008 a deuthum i'r casgliad mai gwan yw traddodiad adolygu llyfrau yng Nghymru. Heblaw am sylwadau Tegwyn Jones a Jan Morris, doedd odid un adolygiad yn werth talu sylw iddo. Prin oedd yr adolygwyr a oedd yn darllen nodiadau ein rhagymadrodd. Felly, o'r braidd fod neb ohonynt yn deall ein canllawiau ynglŷn â chymunedau a'r syniad o beidio â chael cofnodion ar y rheini a oedd yn dal yn fyw. Sylweddolem fod cynnwys y Gwyddoniadur wedi dyddio hyd yn oed cyn iddo gael ei gyhoeddi ond, hyd yma, ni ddaeth unrhyw lwyddiant i gynlluniau i'w ddiweddaru.

Erbyn i mi orffen gyda'r Gwyddoniadur yr oedd ysgrifennu wedi mynd yn faich, a gorffwys oedd yr unig beth a ddeisyfwn. Fodd bynnag, roeddwn wedi addo cyfrol i'r Lolfa yn disgrifio'r mannau yng Nghymru y dylai pawb eu gweld cyn marw. Cyhoeddwyd honno yn 2009, a fersiwn Saesneg ohoni yn 2010. Wedyn, cefais seibiant, ac ni ysgrifennais odid ddim tan i mi gychwyn ar hon o lith ddechrau mis Ionawr 2014. Mi fûm wrthi tan ganol mis Chwefror, sef tuag wythnos ar gyfer pob degawd o 'mywyd. Rwy'n synnu, ar ôl blynyddoedd sy'n fy nharo i'n rhai prysur, nad oes gennyf fwy i'w ddweud.

Yn ystod y blynyddoedd hynny, fy mhrif weithgarwch oedd gorffen cynllunio'r ardd yn y Gors, teithio a gwneud rhywfaint o ddarlithio a darlledu. Aeth y gwaith yn y Gors rhagddo'n dda ond sylweddolais, wrth fynd heibio'r saith deg oed, nad ydwyf mor chwimwth ag y bûm. Bu Ian a Thrystan yn hynod o garedig yn dod i fyny i glirio ac i dorri coed. Rwyf yn gyfrifol am goedlan o gloddiau ffawydd, cylch o goed ceirios, a gerddi o rug ac aselêu. Plannais gannoedd o gennin Pedr, eirlysiau a chlychau glas, a dechreuais ar ardd ddŵr uchelgeisiol. Fodd bynnag, ar ôl galanastra'r gaeaf 2013/14 mae peth wmbreth i'w wneud yno eto. Paradocs i ohebydd yn *Golwg*, wrth adolygu darllediad a wnes, oedd fod yr un person yn medru dwlu ar Drelluest ac ar gefn gwlad Ceredigion. Dyw hynny ddim yn baradocs i mi, yn enwedig gan fy mod yn credu mai'r geiriau harddaf yn y Gymraeg yw Morgannwg a Cheredigion. Siom oedd gweld Tafarn y Gors yn dilyn hynt cynifer o dafarndai ac yn cau, ond llawenydd mawr oedd ei gweld yn ailagor o dan reolaeth tafarnwr a chanddo gysylltiadau â Bwlch-llan. Cefais lythyr oddi wrth yr awdurdodau yn gofyn beth roeddwn i'n ei wneud ynglŷn â charthffosiaeth, a medrwn ateb fod amseriad fy angenrheidiau yn y cyfeiriad hwnnw yn cyd-fynd ag amserau agor y dafarn leol. Ni chefais ohebiaeth bellach. Hyfryd yw treulio ambell noswaith yn Aberystwyth, lle byddaf yn mwynhau croeso Dilys yn Gannets, a dymunol iawn yw mynd i Lanfihangel-y-Creuddyn, lle mae bwyd y Ffarmers yn haeddiannol enwog.

Buom droeon gydag Anna ac Ian a'u plant yn Llydaw, yn bennaf er mwyn bodloni awydd Anna i fwyta wystrys. Ei hoff fwyty yw'r un awyr agored ar draws yr aber o Fynachlog Landevenneg. Yno, mae modd taflu'r cregyn i'r môr ac mae'r plant wrth eu boddau'n gweld yr adar yn dod i bigo ar y deunydd sydd ar ôl yn y cregyn, ac yn gwylio'r badau sy'n hwylio'r aber. Record Anna yn Landevenneg yw 31 o wystrys ar un eisteddiad ond mae hefyd wedi ennill enwogrwydd yn un o fwytai Bae Caerdydd am ddewis wystrys fel y cwrs cyntaf, y prif gwrs a'r trydydd cwrs. Mae'r wyrion yn hoff iawn o fynd i Lydaw, a mater o falchder mawr i Mabon oedd mynd gyda mi a'i dad i ynys ryfeddol Enez Eusa. Gofynnodd rhywun iddo a oedd erioed wedi bod yn Lloegr. 'Sawl gwaith,' oedd ei ateb. 'Mae'n ddarn o dir y mae'n rhaid ei groesi er mwyn cyrraedd y llong sy'n mynd i Lydaw.'

Y mae Janet a mi yn ceisio bod i ffwrdd dros y Nadolig – gas gennyf Nadolig, yn arbennig ei ffug-grefyddoldeb, a hyfrydwch yw croesawu mis Ionawr. Treuliasom amser hyfryd yn Fflorens, Verona, Rhufain, Nice, Clermond Ferrand, Sevilla a Vence. (Mae gwesty Mas de Vence yn arbennig o ddymunol.) Yn 2014, aethom i'r Alban gyda'r gobaith o gynorthwyo'r ymgyrch annibyniaeth yno. Yn wreiddiol, doeddwn i ddim yn frwd o blaid gobeithion Alex Salmond, yn enwedig os na fyddai Cymru yn derbyn manteision cyffelyb; ond, ar ôl clywed ymateb gwleidyddion Llundain a sylwebyddion y BBC, teimlaf fod sylwedd i'w obeithion. Pe bawn yn Albanwr byddwn yn teimlo bod y Sefydliad Prydeinig (neu Seisnig) wedi twyllo'r genedl.

Mae mynd o gwmpas y wlad i ddarlithio wedi mynd â thipyn o'm hamser ac rwyf wedi darlithio ym mhob tref yng Nghymru ac yn nifer o'i phentrefi. Anrhydedd arbennig oedd siarad yn nathliad mis hanesyddol LGBT, a hynny yn y Senedd. Rhyfedd ac ardderchog ar ôl y canrifoedd o sarhad mae pobl LGBT wedi'i ddioddef oedd annerch aelodau'r mudiad mewn adeilad mor uchel ei fri (gweler www.lgbtnetwork.eu). Yn y cyfarfod, bu trafodaeth ddiddorol am briodas rhwng dau o'r un rhyw. Fel prawf o gydraddoldeb, roeddynt i gyd o blaid ond roedd cyfran helaeth o'r rhai a oedd yno yn gobeithio na fyddai'r prif enwadau yn cael yr hawl i gynnal gwasanaeth crefyddol i ddau o'r un rhyw. Meddai un: 'O ystyried y modd yr ydym ni a'n siort wedi cael ein trin gan y prif enwadau crefyddol ar hyd y canrifoedd, taeogaidd fyddai priodi yn un o'u haddoldai hwy.'

Cefais foddhad wrth wneud rhaglenni i'r gyfres *History Hunters*, a bûm yn cymryd rhan mewn nifer o ddarllediadau trafod. Yr un a gofiaf orau oedd dadl yng nghanol Sir Drefaldwyn lle roedd y trigolion yn ffanaticaidd eu gwrthwynebiad i ynni gwynt. Gofynnais a oeddynt hwy neu eu rhieni erioed wedi llosgi glo. Cytunodd pawb oedd yno eu bod wedi gwneud hynny. 'Cawsoch sail eich gwres o leoedd fel y Rhondda. Nawr, eich tro chi yw hi i wneud cyfraniad.' Doedd neb yno'n barod i gymeradwyo'r sylw. Cefais mwy o flas wrth olrhain rhai o'r mannau a ddisgrifiwyd gennyf yn y gyfrol *Cymru: y 100 lle i'w gweld cyn marw*. Pan gyrhaeddais saith deg pum mlwydd oed, trefnodd fy hen gyfaill Dyfrig Davies fy mod yn cymryd rhan mewn rhaglen yn olrhain hanes fy mywyd, a hyfryd oedd crwydro Trelluest, ymweld â'r Rhondda a chael fy ffilmio yn y Gors. Ymwneud â'r rhaglen honno, a chlywed barn fy mab yng nghyfraith fy mod yn nychu pan na fyddaf yn ysgrifennu rhywbeth, a'm sbardunodd i lunio hyn o lith. Roeddwn yn Malaga pan ddarlledwyd rhaglen Dyfrig Davies a chan fy mod yn sicr mai profiad chwithig yw gweld eich hunan ar y sgrin, nid wyf yn bwriadu ei gwylio. Fodd bynnag, mae Cymry Cymraeg Trelluest wrth eu boddau 'bod Grangetown wedi'i roi ar y map', a dywed Dyfrig fod y rhaglen wedi derbyn ymateb cadarnhaol iawn. Barn fy chwaer, sy'n medru derbyn rhaglenni S4C yn Sussex, yw fy mod wedi ymddangos fel rhywun ecsentrig; ymateb Janet oedd: 'Efallai mai hynny oedd ei fwriad'.

A minnau bellach yn 76, rwy'n dechrau synfyfyrio ynglŷn â hyd fy einioes. Dichon mai annoeth yw dechrau ysgrifennu hunangofiant; amhosibl fydd ei orffen oherwydd pan mae'r diwedd yn dod, o'r braidd y byddaf yn medru llunio'r brawddegau olaf. Darllenais yn rhywle fod modd proffwydo dyddiad eich marwolaeth trwy haneru'r gwahaniaeth rhwng oedran eich dau riant pan fuont farw ac ychwanegu pum mlynedd at hynny oherwydd gwelliannau meddygol. Dywed cyfeillion sy'n feddygon mai nonsens yw'r fformiwla ond dyma'i ganlyniad yn fy achos i: dylwn farw ym mis Hydref 2021, dyddiad sy'n rhoi saith mlynedd arall i mi.

Os caf iechyd, mae digon gennyf ar ôl i'w wneud. Mewn saith mlynedd bydd yr hynaf o'm hwyrion bron yn oedolyn, a hyfryd fydd gweld y chwech ohonynt yn tyfu lan. Mae gennyf lu o syniadau ynglŷn â datblygu'r ardd yn y Gors a hoffwn ysgrifennu o leiaf ddau lyfr arall – un a fydd, gobeithio, yn fersiwn Cymreig o'r gyfrol hynod honno, *A Basque History of the World*, ac un a fydd yn garedicach tuag at yr A470 nag ydyw cyfrol Ian Parri. Nid wyf erioed wedi bod yn Rwsia, Tsieina, De America nac Affrica (heblaw am yr Aifft a Moroco) ac rwy'n dyheu am ddychwelyd i'r India; felly mae digon o fannau i grwydro ynddynt. Mae ardaloedd o Gymru nad ydwyf yn gyfarwydd â hwy. Er enghraifft, dim ond unwaith, a hynny ar frys, y bûm ym Mhwllcrochan a Rhoscrowdder.

Os na chaf iechyd, gorau oll fyddai cofio geiriau Mam: 'Os na allwch wneud yr hyn rydych eisiau ei wneud, mae'n well i chi fynd yn deidi' – er fy mod yn amau a fyddaf yn medru 'trachtio'r gwaddod chwerw, heb gryndod ar fy min'. Wedyn, wrth gwrs, bydd angen gwneud rhywbeth â'r corff. Rwy'n edmygydd o draddodiadau'r Zoroastriaid sy'n credu na ddylid difwyno dŵr a thân a phridd gyda chyrff marw. Pan fûm ym Mumbai, euthum i weld eu Tyrau Distawrwydd, lle gosodir eu cyrff er mwyn i'r adar eu bwyta, a hoffwn gael diweddglo tebyg. Mae man yn fy nghoedlan yn y Gors lle gallwn gael fy rhoi ar slabiau marmor a bod yn faeth i'r barcutiaid coch sy'n niferus yn yr ardal. Byddai hwnnw'n ddull gwych o ffarwelio â'r fuchedd hon, ond diau fod 'na reolau yn erbyn y fath beth. Os nad oes modd codi Tŵr Distawrwydd yn y Gors, gadawaf y trefniadau i gyd o dan ofal Ianto. Rwy'n ffyddiog y bydd ef yn gwneud yn sicr na fydd y drefn o gael gwared â'm gweddillion yn cynnwys unrhyw elfen Gristnogol.

Diolchiadau

BRAINT OEDD DERBYN gwahoddiad gan Wasg y Lolfa i ysgrifennu cyfrol am fy hanes i. Mae fy nyled i bawb yng Ngwasg y Lolfa yn fawr, yn arbennig i Lefi Gruffudd a Meinir Edwards. Bu Meinir yn hynod garedig, gan fynd trwy'r testun yn fynych a chan awgrymu llu o welliannau. Ofnaf nad ydwyf wedi eu derbyn i gyd. Cafwyd cymorth derbyniol iawn gan y Cyngor Llyfrau.

Fodd bynnag, mae fy niolchiadau pennaf i aelodau fy nheulu, y bobl a gyfrannodd lu o atgofion a lluniau. Mae fy ngwraig, fy chwaer a fy mhlant wedi darllen y testun, a'u tuedd nhw yw dweud ei fod yn eithaf da; dymunol fyddai meddwl y bydd y rhai nad ydynt mor gyfarwydd â mi ychydig yn fwy brwd. Ymfalchïaf yn fawr yng ngeiriau caredig fy nghyfaill annwyl Jon Gower, ysgolhaig a fu'n gyfrifol am y sylwadau cynharaf ar y broflen.

Hoffwn hefyd fynegi fy mod wedi derbyn ysbrydoliaeth o'r cymunedau y bûm yn rhan ohonynt – yn y Rhondda, Bwlch-llan, Cwrt Henri, Pantycelyn, y Gors, a nawr yn Nhre-lluest. Hyfryd yw cael cymdogion cyfeillgar, ac mi gefais y fraint honno.

John Davies
Hydref 2014

Am restr gyflawn o lyfrau'r Lolfa, mynnwch
gopi am ddim o'n catalog
neu hwyliwch i mewn i'n gwefan

www.ylolfa.com

lle gallwch archebu llyfrau ar-lein.

*yl*Lolfa

TALYBONT CEREDIGION CYMRU SY24 5HE
ebost ylolfa@ylolfa.com
gwefan www.ylolfa.com
ffôn 01970 832 304
ffacs 832 782